T3-BVM-967

神奇的收费亭

〔美〕诺顿 · 贾斯特 著 〔美〕朱尔斯 · 费弗 绘
张加楠 译

南海出版公司

新经典文化有限公司
www.readinglife.com
出　品

献给期待已久的安迪和肯尼

去往空中城堡
N
W
E
S
数字国
无知山
寂静山谷
收费亭出口
期望国
收费亭入口
幻觉城
现实城
森林
懒散国
词语国
困惑丘陵

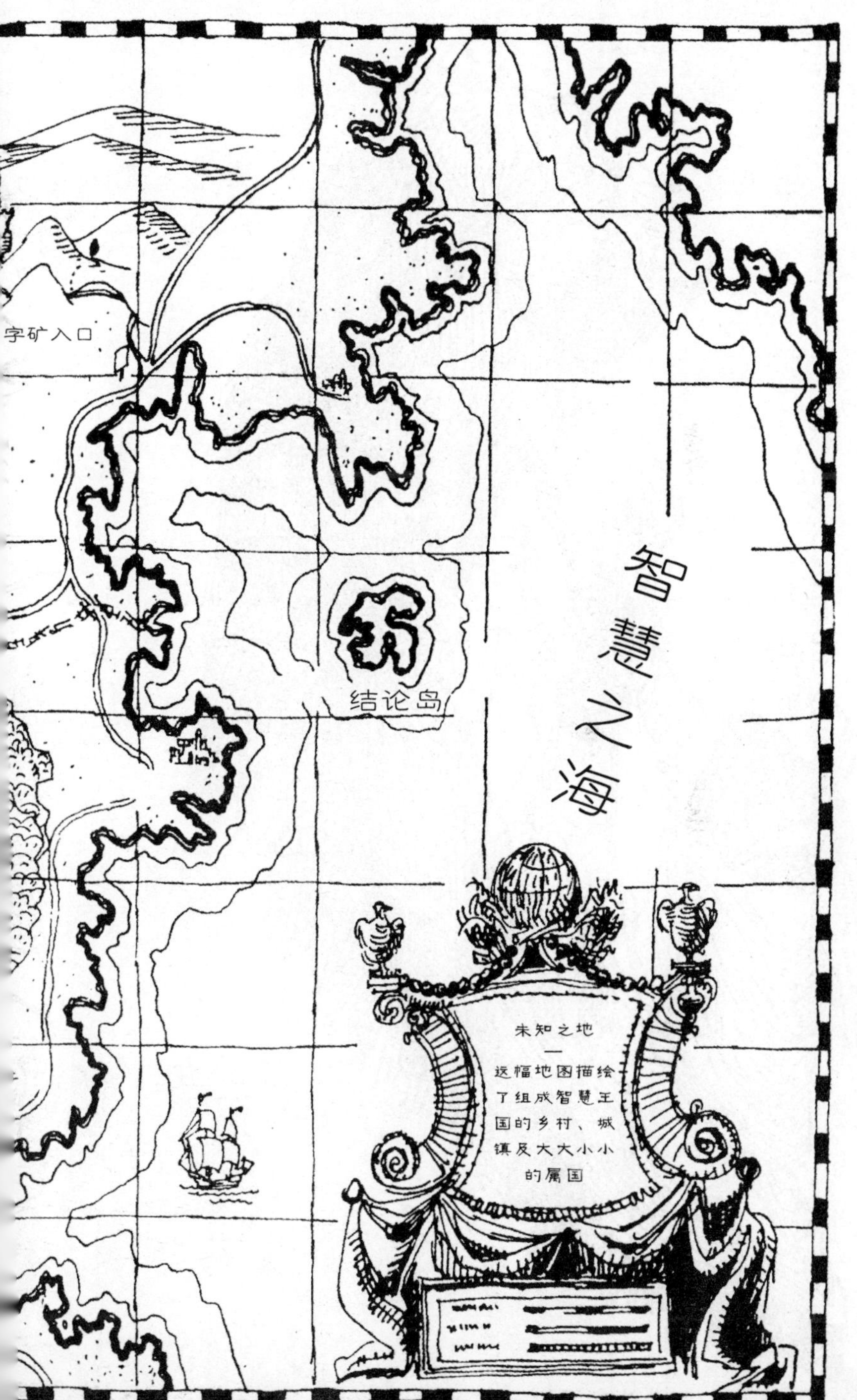
字矿入口
结论岛
智慧之海
未知之地
—
这幅地图描绘了组成智慧王国的乡村、城镇及大大小小的属国

序

当你迷迷糊糊、跌跌撞撞、做事情老是出错的时候，看到作者下面这段话，定会恍然大悟。

“我想是因为我没动脑子。”米洛说。

“一点没错。”闹钟狗喊道，身上的闹钟又响起来，“现在你知道该怎么做了吧？”

“恐怕我还是不知道。”米洛一脸傻傻地承认。

“好吧，”闹钟狗不耐烦地说，“既然你来这里是因为没动脑子，那么要是想出去，你就必须动脑子。”说完他就跳进了车里。

闹钟狗咔嗒接下来的那句话会让你的心房融化，这正是我第一次读这本书的感受。咔嗒说:“你介意我进来吗?我喜欢坐车旅行。”心思细腻的诺顿·贾斯特总是能在最恰当的时候拨动你的心弦。

《神奇的收费亭》充满了欢快激昂的音符，像经典的音乐一样，能够时刻触动你的心。早期的评论家给了它热情洋溢的赞誉，评语中不乏机智的俏皮话和双关语。他们把这本书与《爱丽丝漫游奇境》作了一番比较，因为“本书作者的脑海中全是奇思妙想，他颠覆了词语的一般用法，让其焕发新意”。现在的评论家也对该书发出一片赞叹之声，这在书评界简直罕见。和《爱丽丝漫游奇境》一样，这本书语言活泼、寓意深刻。不过我怀疑作者可能更喜欢把这本书和《柳林风声》作比较。甚至还有人把这本书和班扬的大作相提并论:“《天路历程》讲述的是如何唤醒懒惰的灵魂，而《神奇的收费亭》讲述的是如何唤醒懒惰的大脑。”

上面说的这些都会让年轻的心激荡起来，不过把本书和卡罗尔以及班扬的书作一番比较，只是赞美本书的开始。在我看来，这本书凝聚了诺顿·贾斯特的心血和灵魂，这是本书的奇特之处。尽管这本书充满了幻想，但它和现实的联系还是十分紧密,时不时地会让人碰触到活生生的现实。朱尔斯·费弗用他神奇的画笔，轻轻松松几笔就把天马行空的幻想以及生动的现实描绘了出来，把作者的想法完整地呈现给了读者。

《神奇的收费亭》一书出版的时间和地点勾起了我无限的回忆。它于一九六一年在纽约出版，这正是美国童书出版的黄金时代。我们这些幸运的孩子，诺顿、朱尔斯、我，还有许多人都积极地投身到这场火热的出版大冒险中。大家写书都为了一个目的，那就是让所有的人瞠目结舌。那个时候没有金钱或者物质的诱惑，因为大家都没有钱，而且那时儿童图书被认为是文学界金字塔的最底层。但正是这样，它才能够保持童真，展现我们的本色，而我们正像一群欢快的小鲸鱼，拍打着尾巴，潜到水深处，寻找宝藏。《神奇的收费亭》正是这样纯粹的宝藏。

再次读这本书的时候（就算是米洛，看到这么多年的光阴瞬间即逝，也会震惊吧），我还是被书中的自信和激情触动。它还像以往那样，给人熟悉的认同感：书里的文字游戏仍然给我们带来无比的欢愉。

这本书寓意深刻，就算是生活在今天的我们，还是能够感受到它扑面而来的现代气息。它用充满奇思妙想的语言，描绘出了现代生活中的各种弊病：过于精细、缺乏交流、过于循规蹈矩、贪婪等等。现在更是世风日下、人心不古，人们越来越堕落了。贾斯特寓言中的怪物真真切切存在于生活中。无知的魔鬼、假话连篇的魔鬼（它们邪恶的牙就是为了“扭曲真理”而存在），还有满口托辞的魔鬼，都生活在智慧之国的疆域，正如仇恨、恶意、自以为无所不知的人以及没有原则的人在现代化的办公大楼里随处可见一样。韵律公主和理性公主却被驱逐出去。

我们需要小米洛！我们需要他亲爱的伙伴——闹钟狗咔嗒和骗人虫再一次来拯救公主。我们需要他们开着玩具小车，在懒散国、困惑丘陵还有无知山上行驶，一直到达囚禁韵律公主和理性公主的空中城堡，把她们救出来还给我们。

在这之前，让我们谢谢把这份珍贵的礼物——《神奇的收费亭》带给我们的人，谢谢亲爱的小米洛、诺顿还有朱尔斯！

莫里斯·桑达克（美国著名童书作家）

一九九六年

自序

就像我这辈子碰到的其他幸运之事一样，就在我竭尽全力地逃避一件事的时候，却写出了《神奇的收费亭》，其实我本来应该做的是另外那件事。有些人总是这样阴差阳错，而我就是这样一个人。

让我给你们仔细说说吧。

我于一九五七年退伍后回到纽约市，就职于一家建筑设计所。我需要在设计所努力学习，好让自己有朝一日成为一名建筑设计师。这是我的现实生活，我也将自己当成一名建筑设计师。要是你在大半夜摇醒我，逼问我是干什么的，我保准会脱口说出“建筑师”这三个字，然后才可能是“作家”、“教师”，或者别的什么。这并不是说在我眼中写作和教书相对而言不重要，事实上这两种工作对我而言同样举足轻重，然而我观察世界的角度和思考问题的方式都源自于建筑设计工作中积累起来的经验。

一九五八年至一九五九年在纽约工作期间，我逐渐开始对人们认识和体验生活环境的方式感到着迷：哪些元素能让环境更加舒适，或者让环境更加恶劣？我们是怎样建造市镇的？就在那时，我意识到围绕这些问题给孩子们写一本书或许会非常有趣，也会很实用，毕竟孩子们对这个问题的认识和关注将影响到未来人类生活环境的发展与走向。后来我得到一笔拨款，开始着手撰写一本有关城区景观和构想的书。我辞去工作，热切地投身于这个写作项目所需要的繁重的前期研究工作中。很快我就悟到“上帝想要惩罚你的时候,就会让你梦想成真”这句俗话的真正含义。

连续几个月的工作让我精疲力竭，头晕脑涨，于是我决定休假，去海边待几个星期。那段时间我什么也没做，就是在沙滩上来回溜达而已。理所当然的，一旦不再考虑城区景观的问题，就必须琢磨点别的什么事情。漫无目的地游荡时，我想起几个星期前自己在一间餐馆里同别人的一番谈话。

当时我独自在等座位，一个大约十岁的男孩朝我走过来，坐在了我身边。过了一会儿，他忽然问我：“最大的数字是几？”这可真是个让人大吃一惊的问题，而这就是孩子们最拿手的那种问题。我反问他最大的数字是什么，然后告诉他，不管他想到的数字是什么，再加上“1”，就是我的答案。他给了我同样的答案。我俩在一起度过一段不可思议的时光，你来我往地讨论了一番“无穷”这个概念。就是这次谈话，让我意识到，人不可能直接从“这里”到达“那里”。我兴致勃勃地沉浸于童年的回忆，想起自己当年如何看待生命中这些神秘莫测的事情。我开始觉得，自己正在思考的这一切或许能写成一个小故事，讲述小孩子如何应对不得已要去面对的数字、词语及其含义，以及其他陌生的概念。

随着写作的深入，我越来越多地回想起童年时自己的经历，还有那些让我感到好奇的事物。为什么那个时候我必须学那么多貌似跟自己的生活毫无瓜葛的东西？理解这个世界本身就很困难了，我还要了解它奇怪的、毫无逻辑的运转方式。而且在大部分的时间里，无论做什么，或者学什么，我都感到百无聊赖。对于当时还只有十岁的我而言，一切都平淡乏味，毫无头绪。

我匆匆忙忙地把想到的东西都写了下来，写得越来越像一个完整的故事。我很开心，而且最重要的是，这件事能让我忘记自己本来应该写的那本书。我不停地写下去，逐渐完成了一系列的小故事、对话和人物设计，不过我并不知道这个故事会发展到哪一步。那段时光真是妙不可言。我很热爱这个机会，它能让我把一切上上下下里里外外地折腾个够，在我成长的岁月中，父亲讲给我的那些拙劣的玩笑、双关语和文字游戏，我都有滋有味地回味了一番。

写了差不多有五十页的时候，我的一个朋友把那些手稿一股脑儿拿给了她熟悉的一位编辑去看。几个星期之后，我收到了一份合同，要求我把这些故事写成一本书。我的天啊！现在是一本书了——我要写的是一本书啦，我不是在做游戏了！不是这本书属于我，而是我属于它了！我又提起笔，尽可能地将合同抛之脑后，渐渐地，曾经的快乐又回到了我的心中。大约过了半年，两位公主得救了，王国的秩序恢复了，而且至少有那么一小会儿，米洛和我都学到了一点东西。

对于插图我得说上几句。就在创作这本书的时候，我同朱尔斯·费弗都住在纽约一套破破烂烂的复式公寓里。当时朱尔斯的事业才刚刚起步。整日在他头顶徘徊的踱步声让他深受启发，他不时会读一读我的稿件，然后画上几幅很有前景的插图。那些插图让人觉得不可思议，它们完美地体现出故事的精髓。于是我俩商量好由他来为我的书绘制插图。不过还是有些小问题，因为有些东西朱尔斯不太乐意画，例如地图。我本人非常喜爱地图，我认为自己创作这本书的一个理由本来就是让自己有机会在作品里插入一幅地图，就像我钟爱的亚瑟·兰塞姆[①]的作品那样。于是我亲自绘制了地图。此外朱尔斯也不喜欢画马，在故事即将结束的时候，智慧王国的骑士们从恶魔的包围中救下了米洛和两位公主。在朱尔斯的初稿中，士兵们骑的是一群猫。

过了一段时间，我们之间就开始了一场游戏：朱尔斯竭尽所能地想办法按照自己的意愿绘制插图，我则想方设法地给他制造麻烦。比如，我在故事中写到，在无知山上，生活着一群恶魔，他们对米洛构成了威胁。其中就有妥协三恶魔：一个又矮又胖，一个又高又瘦，第三个与前两个都非常相像。出于某种原因，这三个恶魔始终没有被画出来。

为了报复我，朱尔斯将我画成了是否先生，一个矮小敦实的家伙，头发稀疏，疯疯癫癫，身上套着一件古罗马男人才穿的托加袍。这太有失公道了，所有人都知道我从来不穿这种袍子。

不管怎么样，我再也没有回头去考虑那本研究城区景观的书，不过有意思的是，我曾经针对那本书考虑过的很多事情都以各种各样的方式出现在《神奇的收费亭》一书中。

---

①亚瑟·兰塞姆（Arthur Ransome，1884—1967），英国作家，其儿童文学代表作有十二卷本的《燕子与鹦鹉》系列小说。

或许有一天，当我试图逃避其他事情的时候，我又会提笔撰写那本书。

诺顿·贾斯特

contents

1
男孩米洛

从前有一个男孩，名叫米洛。他整天都无所事事，不知道做什么好。

上学的时候，他想赶紧放学；刚走出校门口，他又想进教室。在外边的时候，他想回家；走在回家的路上，他就在想着出门去。不管这会儿在哪里，米洛都想去别的地方；到了别的地方，他又闹不清当初为什么要来。他对什么事都提不起劲儿——那些最有趣的事在他看来最无聊。

“全都是在浪费我的时间。”这天放学回家的路上，米洛沮丧地自言自语，“学这些没用的东西有什么意义啊？干吗要剥开大头菜作实验？干吗要知道埃塞俄比亚在哪里？干吗要学那些难记的单词？”因为没有人告诉他到底为什

么学习，所以米洛认为，学习知识纯粹是浪费时间。

米洛飞快地走着，脑子里乱糟糟的。可他越是不急着去哪儿，越是一眨眼的工夫就到了那儿。世界这么大，在米洛看来却又小又无聊。

“最糟的是，”米洛沮丧不已，“我整天什么都不想做，哪儿也不想去，甚至不想睁开眼。”说完，他深深叹了一口气。附近一群正在欢唱的小麻雀顿时吓得安静下来，立即飞回了巢里。

米洛没有停下脚步，也没有抬头。他匆匆走过高楼林立、热闹繁忙的街道，没多久就到了家门口。他穿过大厅，跳进电梯。二层、三层、四层、五层、六层、七层、八层，电梯停下了。米洛打开家门，冲进自己的房间，一屁股坐进椅子里，小声嘟囔着：“下午干什么好呢？真是无聊透了。”

他一脸忧郁地环视着房间。书？读起来太麻烦了。玩具？还没学会怎么玩呢。小型电动汽车？好几个月，或者有好几年都没骑过了吧。数不清的玩具、球棒和球乱七八糟地散落在房间里。

忽然，就在对面，唱机的旁边，米洛看到一样之前绝对没有见过的东西。

这是一个又大又奇怪的包裹，这个包裹不方不圆，而且非常大，比米洛以前见过的所有包裹都要大。是谁放在那儿的呢?

包裹的一侧贴了一个淡蓝色的信封，上面写着：**给有大把空闲时间的米洛。**

如果你曾经收到过这种大大的惊喜，就能够想象米洛现在有多么激动和不知所措了。假如你没有收到过这样的惊喜，那么要多留心了，没准儿以后会收到呢。

今天不是我的生日啊，而且还有好几个月才到圣诞节呢。米洛一脸困惑。我表现又不是很好，甚至可以说一点都不好（小米洛倒挺坦白）。不过无所谓了，反正我也不一定会喜欢这个礼物。只不过我不知道礼物是从哪儿来的，也就没办法退回去了。他想了很长时间，才小心翼翼地拆开信封。

信里写着：**一座真正的高速公路收费亭。**

还有：**便于组装，适用于从来没到未知之地旅行过的人。**

“未知之地？”米洛一边想一边往下看：

包裹中有以下物品：

一座可以按照提示拼装的高速公路收费亭；

三块警示牌；

付费用的零钱；

一张最新的地图，由顶级制图师精心绘制，描绘

了未知之地所有自然以及人文景观；

一本交通规则手册，不得折叠或磨损。

底下还有一行小字：

不能保证你百分百满意。如果不满意，浪费的时间会还给你。

米洛按照指示，剪啊拆啊，折啊叠啊，很快，一座高

速公路收费亭就搭起来了。然后，他安上窗户，盖上房顶，再装上投币箱。这座收费亭和他之前与家人出去旅行时见到的几乎一模一样，只不过这个很小，而且是紫色的。

“可是，这礼物好奇怪，”装完后，米洛自言自语，“至少也要附送一条公路啊，没有公路，收费亭就没什么用啊。”不过现在既然这么无聊，别的东西也都没意思，那就玩一会儿吧。于是，他把三块警示牌依次竖起来：

接近收费亭时请减速慢行

请备好零钱

请预先设定好你的目的地

小米洛慢慢地打开地图。

正如信中说的那样，这幅地图很精美，色彩绚丽，大路、河流和海洋，城市和小镇，山脉和峡谷，十字路口和人行道，令人眼花缭乱的历史古迹都清清楚楚地标在上面。

唯一的麻烦就是，米洛从来没有听说过这些地名，更何况这些名字又特别古怪。

“我不认为世上有这种鬼地方。”米洛仔细研究一番后说，“算了，这不重要。”他闭上眼睛，随便在地图上指了一个地方。

“词语国，”米洛睁开眼，慢慢读着指到的地名，“好，就去这里了，反正去哪儿都一样。”

他穿过房间，轻轻把电动汽车上的灰擦掉，拿上地图和交通规则手册，跳进了车里，慢慢朝收费亭驶去。硬币投进去后，他充满渴望地叹道：“真希望能有点意思，否则这个下午简直无聊死了。”

2

超乎想象的期望国和懒散国

米洛忽然发现自己正沿着一条陌生的乡村公路前进。回头望去，收费亭、他的房间，还有整个家，都已经不见了。原本看起来只是捉弄人的恶作剧，竟变成了现实。

真是怪事！他想。要是这事发生在你身上，你也会这样想。“这个游戏比我想象的真实多了。我现在就在一条从没来过的公路上，驶向我从来没有听说过的地方，而这一切都是因为那座不知从哪儿来的收费亭。让人高兴的是，今天天气很好，适合出门旅行。”米洛满怀信心地总结道。事到如今，也只能这么着了。

阳光灿烂，天空一片蔚蓝，眼前的一切都前所未有的饱满和明亮。花朵闪烁着光芒，好像刚刚被人清洗、擦拭过；

高大的树木列在道路两旁，绿色的叶子仿佛泛着银光。

欢迎来到期望国！

米洛忽然看到路旁一间小屋子前面的指示牌上写着这句话，还有一行说明：

我们给您提供您需要的信息、预测和建议。请在这里停车并鸣笛。

喇叭声响起，一个穿着长外套的小人从房子里冲了出来。他说话速度飞快，而且老是重复。

“我，我，我，我，我，欢迎，欢迎，欢迎，欢迎你来到期望国，来到期望国，来到期望国。这段时间来的游客不多，这段时间来的游客确实不多。我能为你做点什么吗？我是是否先生。”

“这的确是去词语国的路吗？”米洛问，他被这一连串热情洋溢的欢迎词搞迷糊了。

“这个，这个，这个。”那人又开始结巴了，“我不知道去词语国还有错误的道路。如果这条路通往词语国，肯定就是正确的道路。要是不到那儿，那么这条路肯定是通往其他地方的正确道路。因为压根没有错误的道路。你认为会下雨吗？”

“您不知道吗？我本来以为您是天气先生[①]。”米洛一脸困惑地说。

“哦，不是，”小人说，“我是是否先生，不是天气先生，

①英文“天气”（weather）和“是否”（whether）发音相同，所以小米洛误会了。

因为知道是否有天气要比知道天气怎样重要多了。”说完，他朝天空放飞了一打气球。“必须知道风往哪边吹。”他说，然后咯咯笑了，好像自己说了很好笑的玩笑话。轻飘飘的气球朝四面八方飞去。

“期望国是个什么样的地方啊？”米洛根本没领会小人的幽默，他开始怀疑小人的神志是否清醒。

“问得好，问得好！”小人赞叹道，“期望国是你去任何其他地方之前必须要来的地方。当然，一些人来了期望国就不去别的地方了，而我的工作就是把这些人赶走，不管他们愿不愿意离开。现在我能为你做什么？”可是还没等米洛回答，他就冲进了屋子里，不一会儿又拿着一件新外套和一把新雨伞出来了。

“我认为我能找到路。”虽然心里有点打鼓，米洛还是说。他根本听不懂那个小人在说什么，于是决定还是朝前走好了——应该能遇到个说话明白的人。

“太好了，太好了，太好了！”是否先生赞叹道，“不管你能不能找到自己的路，你都需要找一条出路。要是你能帮我找到路，请把它还给我，因为好几年之前我就已经迷路了。我想我的路已经荒芜。你说天要下雨，是吗？”说完，他撑开雨伞，焦虑地望着天空。

“我很高兴你能自己作决定。我最讨厌自己作决定，不管是决定好事还是坏事，上面还是下面，里面还是外面，下雨还是晴天。‘事事都往好处想’，我总是这么说，这样不期望发生的事就不会发生了。现在你要专心开车了。再见，再见，再见，再……”他最后一声“再见”被一声响雷淹没了。响晴的天，米洛在马路上前行，却看见是否先生站在大雨之中。这阵大雨只浇在他身上，仿佛专为他一人而下。

米洛很快就来到了一个宽阔的绿色峡谷，峡谷一直延伸到远方的地平线。小车一路颠簸着往前飞驰，米洛根本不需要踩油门就跑得飞快。他很高兴又上路了。

待在期望国是不错，他想，但是整天和那个小人聊天，会让我犯糊涂，他是我见过的最奇怪的人。米洛根本想不到，很快他还会遇到更多奇奇怪怪的人。

米洛在安静的公路上行驶，很快就开始做起白日梦来，渐渐闹不清自己要去哪儿了。所以，到达一个分岔路口时，标志牌写着左转弯，米洛却向右拐，沿着一条看起来令人怀疑的道路驶去。

一旦离开大路，一切都不对劲起来。天空变得十分灰暗，乡村都失去了应有的光彩，变得十分单调。一切都很安静，连空气都似乎沉重起来，小鸟的歌声也十分乏味。道路无穷无尽地往前蜿蜒。

一英里。

两英里。

三英里……

米洛走出几英里后，车速越来越慢，最后简直像蜗牛在爬，几乎动不了了。

“看起来我哪儿都去不了了，”米洛打了个哈欠，昏昏欲睡，“希望我没走错路。”

一英里。

两英里。

三英里……

一切都越来越灰暗，越来越单调。最后，车子停下来，一动不动了。小米洛使劲踩油门，车也不朝前移动一寸。

“我这是在哪儿？”米洛担忧起来。

“你……现在……在……懒散……国。”远处一个声音叹道。

米洛飞快地四处张望，想看清是谁在说话。可是一个人影都没看到，一切安静得令人难以想象。

“是的……懒散……国。”另一个声音叹道。但米洛还是没看见人。

“**懒散国是什么地方？**”他大声喊，想看看会得到什么回应。

“懒散国，我的小朋友，这里什么都不会发生，什么都不会改变。”

这一次声音就在耳旁，米洛吓了一跳，这才看到他的右肩膀上停留着一个小东西，颜色几乎和他衬衣的颜色一模一样，所以他先前竟没看见。

“请允许我自我介绍一下，”小东西继续说，“我们是懒散精灵，愿意为你效劳。”

米洛四处张望，这次他总算发现了他们——有的坐在

车上，有的站在路上，有的躺在树上或者灌木丛里。必须睁大眼睛、仔细辨别才能看见他们，因为不管在哪儿，他们都会和周围的事物融为一体。这群小东西长得几乎一模一样（当然颜色除外），他们更像彼此，而没有自我。

“很高兴见到你，”米洛说，搞不清自己是不是真的很高兴，“我想我迷路了。你能帮帮我吗？”

“不要说‘想’。”站在他鞋子上的那个小东西说，他肩上的那个已经睡着了。“这是违法的。”鞋上那个打了一声哈欠，也睡着了。

“懒散国里的人不允许‘想’。”第三个说着就打起了瞌睡。另一个接话，这一个就睡，这样谈话就不会中断。

“你不是有一本交通规则手册吗？这是第 175389-J 号地方法令。”

米洛赶紧从口袋里掏出册子，翻到那一页，读道：“第 175389-J 号法令，任何在懒散国的思考、想到思考、猜测、推测、推理、沉思或者推断都是违法的、不合伦理的。任何违反这项法令的人都将受到严厉的惩罚。”

“这条法令好可笑，”米洛十分愤怒地说，“所有人都要思考。”

“我们不会。”懒散精灵立即喊道。

“大多数时候你都没思考，”一个坐在水仙花上的黄色小东西说，“这就是你来这里的原因。你没有思考，对事情也不留心。那些不动脑子、不留心的人都会陷入懒散国。”说完这话，他就从花上跌落，倒在了下面的草丛里，打起呼噜来。

看到这个小东西的奇怪行为，米洛忍不住笑了起来，尽管他心里明白这样很无礼。

“不要笑，”紧抱住米洛袜子上的格子图案的小东西命令道，“笑是违法的。你难道没看那本手册吗？这是第574381-W号地方法令规定的。”

米洛再一次打开手册，找到了第574381-W号法令：“在懒散国，要对笑声嗤之以鼻，只能在隔周的星期二微笑。违反者必须接受最严厉的惩罚。”

“天哪，要是不想也不笑，还能做什么？”米洛问。

“我们无所事事，这就是事。”另一个解释道，“这样就有很多事做了。我们每天都很忙——八点起床，八点到九点，做白日梦。九点到九点半，睡个短觉。九点半到十点半，四处闲逛。十点半到十一点半，再睡个短觉。十一点半到十二点，等着吃午饭。一点到两点，四处闲逛。两点到两点半，小睡一会儿。两点半到三点半，把今天能做的事拖到明天。三点半到四点，再睡一会儿。四点到五点，无所事事，直到晚饭。六点到七点，磨蹭着消磨时间。七点到八点，睡个预备觉，在九点正式睡觉之前，还要消磨一个小时。你看，我们这么忙，根本没时间去思考、去辛苦工作，那样太浪费时间了。要是停下来思考或者笑，就什么事也做不了了。”

“你的意思是你什么事都没干。”米洛纠正道。

“我们不用做任何事，”有一个愤怒地说，“我们什么事都不想做，用不着你在这儿瞎掺和。”

“你看，”另一个一副调解的口气，“每天什么事都不做很累，所以我们每周都会拿出一天来休息，哪里都不去。正好在这里遇见你，你愿意加入我们吗？”

有什么不可以啊，米洛想，反正我也不知道去哪儿。

“告诉我，”他打着哈欠说，快要睡着了，“这里的人都是什么事也不做吗？”

“除了可怕的闹钟狗，”两个小东西战战兢兢地说，“他会四处嗅闻，看有没有人浪费时间。真是最让人讨厌的东西。”

“闹钟狗是什么？”米洛好奇地问。

“闹钟狗……”另一个喊道，几乎害怕得晕倒，因为有一条狗正从路的那头跑过来，一路狂吠，脚下卷起一阵烟尘。这正是他们所说的那条闹钟狗。

“快跑！”

“醒醒！”

“快跑！”

“他来了！”

“闹钟狗！”

响起一阵喊声，懒散精灵四散跑开，很快就无影无踪了。

“汪——汪——”闹钟狗叫着向米洛的小车冲过来，大口大口地喘着气。

米洛眼睛瞪得大大的。站在他面前的是一条大狗，和别的狗一样，有脑袋，有四条腿，有一条尾巴——但身子却是一个滴答作响的闹钟。

“你在这里干什么？”闹钟狗咆哮道。

“只是打发时间。”米洛满怀歉意地答道，“你说……”

“**打发时间！**”大狗咆哮道——他如此愤怒，连闹钟也

嗡嗡作响，“浪费时间就够过分了，你还要打发时间?！”他气得全身颤抖，“你为什么会在懒散国——没有别的地方可去吗？”

“我打算去词语国，结果在这里迷路了。”米洛解释说，“你能帮帮我吗？”

“帮你？你必须自己帮自己！”狗说，然后用左后腿仔细给闹钟上了弦。“我想，你知道自己为什么陷在这里。”

“我想是因为我没动脑子。”米洛说。

“**一点没错。**”闹钟狗喊道，身上的闹钟又响起来，“现在你知道该怎么做了吧？”

“恐怕我还是不知道。”米洛一脸傻傻地承认。

“好吧，”闹钟狗不耐烦地说，“既然你来这里是因为没动脑子，那么要是想出去，你就必须动脑子。”说完他就跳进了车里。“你介意我进来吗？我喜欢坐车旅行。”

米洛开始绞尽脑汁思考（这对他来说很难，因为他已经不习惯动脑子了）。他想到了会游泳的鱼、会飞的鸟；他想到昨天的午餐和明天的晚餐；他想到了“j”打头的单词

以及“3”结尾的数字。米洛一动脑子，车轮就开始转动起来。

“我们可以走了！我们可以走了！”他高兴地喊。

“继续动脑子！”闹钟狗命令道。

米洛的脑子越转越快，车轮也越转越快。他们一直朝大路驶去，没多大一会儿，就驶出了懒散国，回到了大路上。一切都恢复了光泽和鲜艳。车子在大路上行驶，米洛想起了很多东西，他想起许多容易走错的弯路和岔路，想起只要稍微动动脑子就能完成很多事。而那只闹钟狗正兴高采烈地伸着鼻子吹着风，肚子上的闹钟还在滴答作响呢。

3

欢迎来到词语国

“请原谅我说话粗鲁。”车开了一段时间，闹钟狗说，“但是通常，闹钟狗应该是凶猛的……”

离开了懒散国，米洛很开心，也很放松，他让闹钟狗放心，他对他没有什么恶意，而且还很感激他的帮助。

“太好了！”闹钟狗喊道，“太开心了！我感觉在接下来的旅程中，我们会成为很好的朋友。你可以叫我‘咔嗒’。”

“这个名字真奇怪，你发出的是‘滴答——滴答——滴答’的声音啊，”米洛说，“为什么你的名字不是——”

“不要说了……”大狗气喘吁吁。米洛看到他的眼中泛起了泪花。

“我不是故意伤害你。”米洛说。他并不想提起他的伤心事。

“没事。”闹钟狗慢慢平静了，“这是一件悲伤的往事，我现在要告诉你。

“我哥哥是家里的第一个孩子。他出生时，我的父母很高兴，希望他能够发出‘滴答’声，就给哥哥起名叫‘滴答’。可是第一次给他上弦的时候，他们震惊地发现，哥哥发出的声音是‘咔嗒咔嗒咔嗒’,根本不是‘滴答滴答滴答’。他们冲到登记处，想把名字换了，但是一切都太晚了。名字已经正式记录在案，不能改变。我出生的时候，他们决定不再犯同样的错误。因为他们认为他们所有的孩子都会发出咔嗒声，所以就给我起名叫‘咔嗒’。后来的事你都知道了。我的哥哥叫‘滴答’，却发出‘咔嗒咔嗒咔嗒’的声音；而我叫‘咔嗒’，却发出‘滴答滴答滴答’的声音。就这样，我们俩一辈子都背负着错误的名字。我的父母太过伤心，就不再生孩子了，一生都在行善，去帮助穷人和饿肚子的人……”

“你是怎么成为闹钟狗的？”米洛插嘴道，希望能转移话题，因为咔嗒已经哭得稀里哗啦了。

“这……”他用爪子擦了擦眼睛，“也是我们家的传统，我们家里人都是闹钟狗——自从有了时间，我们祖祖辈辈都是……”

“你看，”咔嗒觉得好一点了，他继续说，“以前没有时间的时候，人们觉得很不方便。他们不知道该吃午饭还是晚饭，还总是错过火车。后来，时间被发明出来，它帮助人们记录每天的行程，告诉人们什么时候去哪儿。但是，当他们开始计算时间时，发现一年有三百六十五天，一天有二十四小时，一小时有六十分钟，一分钟有六十秒，就觉得时间太多了，根本用不完。‘既然时间这么多，那它根本不值钱。’人们都开始这么想，于是时间失宠了，开始被随随便便浪费。所以人们就给狗一项工作，那就是管好人们，让他们不要浪费时间。”说着，他骄傲地坐直身子。“这项工作很辛苦，但是很崇高。因为你看——”他一脚站在座位上，一脚搭在挡风玻璃上，两只爪子伸展着，大声喊道：“‘一寸光阴一寸金’，时间比钻石都要珍贵。时光奔走，像逝去的潮水一般，真是‘岁月不待人’啊——”

刚说到这儿，车子颠簸了一下，闹钟狗没留心，一下子从前座上跌了下来，立刻铃声大作。

“你还好吧？”米洛喊道。

“嗯，”咔嗒咕哝着，“对不起，我跑题了，但是我相信你已经明白了。”

车子继续朝前开，咔嗒还在解释时间的重要性，他不

断引用哲学家、诗人的名句，边说边打手势，在飞速行驶的汽车上不停打滚。

很快，他们远远地看到了在阳光下闪闪发光的城池尖塔和旗帜。不一会儿，他们就来到了城墙前，站在了大门口。

“啊哈！”看门人清了清嗓子，以引起他们的注意，“这里是词语国，一个欢乐的王国，位于困惑丘陵，每天都会受到智慧之海的轻风吹拂。按照皇家规定，今天是赶集日。你是来买东西还是来卖东西啊？”

“我不太明白，请您再说一遍好吗？”米洛说。

“买还是卖，买还是卖。”看门人不耐烦地说，“到底是买还是卖？你来这里肯定是有原因的。”

“好的，我——”米洛还没说完，看门人就打断他：“快说，要是没有原因，你总该有一个解释或者借口吧。”

米洛摇了摇头。

“这很重要，很重要。”看门人也不停地摇着头，“你不能没有理由就进去。”他想了一会儿，又说：“等一会儿，也许我有一个古老的理由可以给你用。”

他从门房里扛出一个破烂不堪的箱子，一边在里面摸索，一边喃喃道：“不是……不是……不是……这个不行……不行……嗯……啊，这个很好。”他得意扬扬地喊着，拿起一块系着绳的牌子。他把牌子擦干净，只见上面刻着几个字：

有何不可呢？

“这是一个做任何事的好理由——有点旧了，但是还能用。”他把牌子挂在米洛的脖子上，推开沉重的大铁门，深深一鞠躬，打手势让他们进城。

真不知道集市是什么样子的……米洛开车驶进大门的时候想，但是还没等他想明白，车子就开进了一个巨大的广场。广场上商铺林立，铺子里堆满了各式各样的货物，所有的货物都扎着鲜艳的彩带。广场入口处还挂着一面大大的横幅，上边写着：

欢迎来到文字市场！

从广场对面走来五个高高瘦瘦的绅士。他们穿着绫罗绸缎，戴着有羽毛装饰的帽子，脚上蹬着锃亮的皮靴，一直走到米洛的车前面。忽然，他们停下来，一起擦汗、喘气，然后甩出五张羊皮纸，逐一问起好来。

“问候您！”

“向您致敬！”

“欢迎光临！”

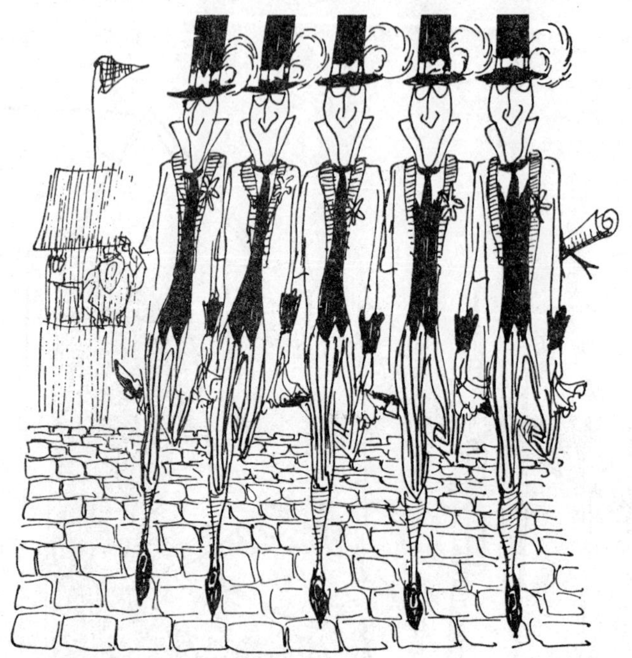

“下午好！”

“您好！”

米洛点点头。他们接着埋头读羊皮纸。

“奉 ABC 国王之命——”

“也就是词语国国王——”

“文字的统治者——”

“短语、句子以及各种修辞的帝王——”

“我们热忱地欢迎您来到我们王国。”

“国家。”

“民族。”

“政府。”

“共和国。”

“领土。”

“帝国。”

“领地。”

“公国。”

“这些词语不都是一个意思吗？”米洛被搞得迷迷糊糊的。

“当然。”

“没错。”

“丝毫不差。”

“确实如此。”

“是的。”

他们又挨个儿说道。

“好了，那么，”米洛不明白这五个人为什么要用不同的词说同样的事，“只用一个词难道不简单些吗？这样也更合乎情理。”

“胡说。”

“可笑。”

“荒谬。”

“滑稽。”

“瞎扯。”

他们又依次说。

“合乎情理不是我们的兴趣所在，也不是我们的工作。”第一位绅士说。

“除此之外，”第二位解释道，“这个词和另一个词一样好——为什么不都用上呢？”

“这样你就不用选择用哪一个词了。”第三位绅士建议。

“而且，”第四位叹息着，“如果一个正确，那么其他十个也正确。”

“显然你还不知道我们是谁。”第五位冷笑道。然后他们一个个地自我介绍。

“我是定义公爵。”

“我是意义部长。”

“我是本质伯爵。”

“我是内涵侯爵。”

“我是理解次长。”

米洛表示明白了，咔嗒也低吠了两声。意义部长开始给他们解释。

“我们都是国王的顾问，或者用更正式的名称，我们是国王的内阁。”

“英文中的‘内阁’，也就是cabinet，”定义公爵解释道，“其义有三，第一，指的是一个小房间，或者是有抽屉的橱柜等，

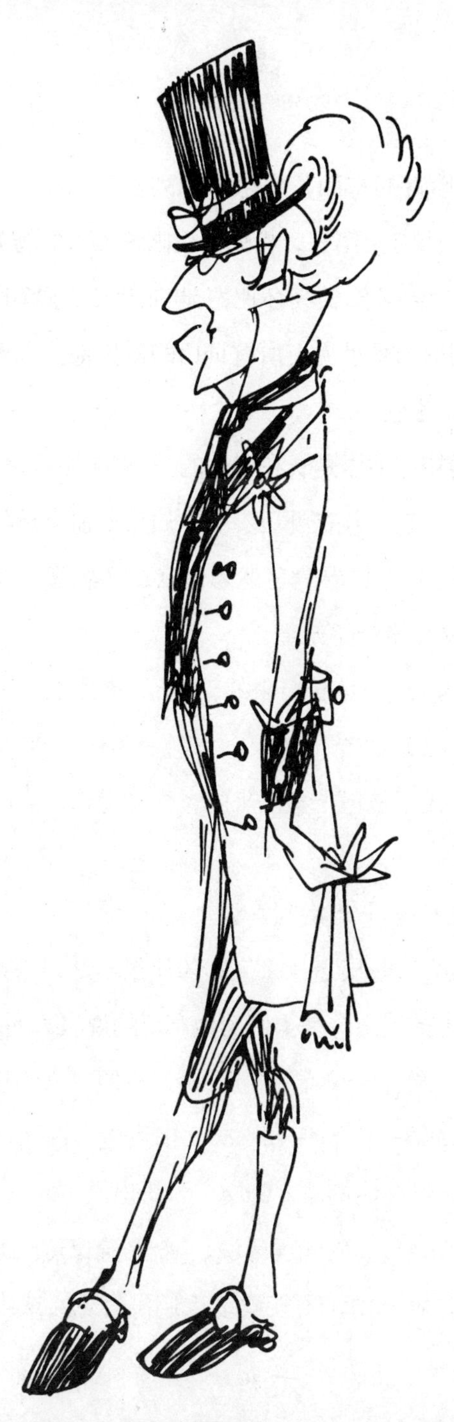

可以用来放珍贵的东西，也可以陈列古玩；第二，指的是国家大臣的会议室；第三，指的是王国统治者的智囊团。”

“你看，”意义部长满怀谢意地向定义公爵鞠了一躬，接着说，“词语国是世界上所有词语的诞生地。词语们就在我们的果园里生长。”

“我真不知道词语是长在树上的。”米洛怯怯地说。

“那你认为它们长在哪里？”本质伯爵愤怒地问。他们向小男孩围过来，想弄清楚他为什么这么愚蠢，竟然连词语长在树上这种事都不知道。

“我不知道它们是长出来的。”米洛更加怯弱。几个人开始痛心地摇头。

“那么，钱不是树上长出来的，你知道这一点吧？”内涵侯爵问。

“我听说不是。”米洛回答。

“那树上必须长出点什么来。为什么不是词语呢？”理解次长得意扬扬地说。绅士们为他高超的说服力而欢呼。

“而且，”意义部长不耐烦地说，“按照皇家的规定，每周要在这个宽阔的广场举行一次文字买卖，四面八方的人们齐聚这里，购买他们需要的文字，售出没用的文字。”

“我们的工作，”内涵侯爵说，“就是确保这些售出的词语是恰当的，就是说，不能卖给人们没有意义或者根本不存在的词语。比如说‘鸡噜’这个词,你在哪儿用得到它呢？”

“这个词好难懂。”米洛默默地想。不过对他来讲，世上有很多难懂的词，因为他知道的屈指可数。

“但是我们不会去选择用哪个词，”在众人走向市场摊位时，本质伯爵一路解释道，“因为只要这些词是它们本来的意思，我们就不会管它们讲得通还是讲不通。”

“是淳朴还是华丽。”内涵侯爵补充道。

“是冷静还是热烈。”理解次长说。

“这样就简单多了。”米洛尽量有礼貌地说。

“就像被一块木头绊倒一样简单。”本质伯爵喊道，然后真的被一块木头绊倒了。

“你非要这么笨手笨脚吗？”定义公爵叫道。

“我想说的是……”本质伯爵摸着脑袋，想继续说。

“我们听见你说的了，”意义部长生气地说，“你必须说一件不那么危险的事。”

本质伯爵站起来，拍了拍身上的尘土，假装没有听见众人的讥笑。

“你看”，内涵侯爵说，“说话的时候必须小心斟酌，确保你说的话能够表达你的想法。现在我们必须去为皇家宴会作准备了。”

“当然，你也要参加宴会。”意义部长说。

还没等米洛说点什么，他们就匆匆穿过广场，一溜烟跑了。

“尽情在市场玩吧。”理解部长回头喊道。

“市场，”定义公爵注解道，“是一块空地，或者是一个建筑物，在里面可以……”

这是他们消失之前，米洛听到的最后一句话。

“我从来都不知道语言可以让人如此迷糊。”米洛一边对咔嗒说话，一边用手抚摸闹钟狗的耳朵。

“语言没有那么难懂，除非你说了一大堆废话，真正想表达的意思却没表达清楚。”咔嗒说。

米洛认为这是他今天听到的最明智的一句话。“来吧，”他喊道，“让我们逛逛这市场。看起来很有趣！”

4 市场大战

市场确实有趣！他们走进市场，米洛看到人们推来搡去，嚷个不停，买东西的，卖东西的，讨价还价，一片喧哗。从果园里来的大木轮车涌进市场，长敞篷车也已经准备好，要赶赴王国的四面八方。袋子和箱子堆得高高的，等着被运到船上，驶向智慧之海。广场另一边，一群歌手在唱歌，让不能加入这场热闹的老人和孩子也欢快起来。但是商人的叫卖声盖过了所有喧哗，他们正在大声推销自己的货物。

“快来挑选最新鲜的‘如果’、‘而且’和‘但是’。”

“过来瞧，过来看，快来啊，刚成熟的‘哪里’和‘何时’。”

“快来看看美味的词语果汁啊！”

词语成堆，人潮汹涌！他们来自四面八方。所有的人

都在忙着挑挑拣拣，把东西塞进自己的箱子里。装满了一个箱子，再装另一个箱子。繁忙愈演愈烈，似乎没完没了。

米洛和咔嗒沿着大路逛来逛去，观赏着出售的词语。短小和简单的词供日常使用；较长和重要的词供特殊场合使用；一些漂亮时髦的词则装在独立的礼品盒里，用来写皇家法令以及告示。

“瞧一瞧，看一看，时髦、上乘的词语就在这里。”一个商贩吆喝着，“瞧一瞧——啊，你想要什么，小男孩？买一袋漂亮的代词怎么样？你喜欢种类特别的名词吗？”

米洛以前从来没有想过词语的事，但是这些词看起来很不错，他也想要一些。

“看啊，咔嗒，”他喊道，“这些词看起来多漂亮啊！”

“是不错，你说不错就不错吧。”咔嗒嗓音疲惫。比起买新词，他对找一根骨头感兴趣多了。

“要是我买些词语，就有可能学会怎么用了。”米洛一边说，一边开始在摊位上挑词语。最后，他挑选了一些看起来很不错的词——“沼泽地”、“哑然失色”以及“室内装潢”。他根本不知道这些词的意思，但是它们看起来很华丽、很优雅。

“这些多少钱？”米洛问。可是当商贩在他耳边轻声说出一个价钱后，他立马把词语放回原处，打算继续朝前走。

“为什么不买几磅‘快乐’呢？”那人建议，“这实用多了——可以用在‘生日快乐’、‘新年快乐’等等庆祝的场合啊。”

“我想要一些，”米洛说，“可是……”

“那你喜欢‘好’吗？说‘早上好’、‘下午好’、‘晚上好’，以及‘一路走好’的时候就能用到了。”那人又建议。

米洛很想买点东西，但他身上只有那枚还要返还给收费亭的硬币。而咔嗒除了时间，一无所有。

“我不要了，谢谢你，”米洛回答，“我们看看就好。”然后他们继续在市场里闲逛。走到最后一排摊位时，米洛注意到一辆与众不同的货车。车身上写着一行整洁的小字：**自己动手**。车里有二十六个盒子，分别装着字母表中的每个字母。

“这些是给那些愿意自己制作词语的人准备的。”车的主人说，“你可以任意挑选，或者购买一个包含所有字母、标点符号，并有说明书的盒子。来，尝尝A，美味得很呢。”

米洛小心翼翼地咬了一口。真是可口极啦，正是A应该有的味道。

“我就知道你喜欢，”卖字母的小贩说完，把两个G和一个R放进了米洛的嘴里。汁水流到了米洛的下巴上。“A是我们这里最受欢迎的字母，其他的字母都没这么好吃。”

小贩小声把这个秘密告诉米洛，“比如说Z，又干又涩。还有X，吃起来简直有一股霉味。这就是人们几乎不使用这两个字母的原因。不过其他的字母都很好吃。再尝一些。”

他递给米洛一个I，一股凉爽的感觉沁入心脾。他又递给咔嗒一个松脆的C。

“大多数人太懒了，不愿意制作属于自己的词语，”小贩说，“但是自己动手有意思多了。”

“自己动手难不难？我不擅长造词。”米洛承认，把字母P里面的核吐出来。

“也许我能帮上一点忙——h-e-l-p, help, 帮忙。”忽然，一个陌生的声音说。米洛抬起头，看到一只巨大的蜜蜂——至少比他大一倍，正坐在货车上方。

“我是拼写蜜蜂。”蜜蜂说。

咔嗒立刻躲到了货车下。不怎么喜欢蜜蜂的米洛，也开始慢慢往后退。

“我能拼写出所有的单词——a-l-l, all, 所有。”他夸下海口，忽闪着翅膀，“考我，考我！”

“你能拼‘再见’吗？”米洛一边后退，一边说。

蜜蜂慢慢地飞到空中，在米洛头顶盘旋。

“也许——p-e-r-h-a-p-s, perhaps，你误会我了，我没有危险——d-a-n-g-e-r-o-u-s, dangerous。”说着，他朝左转了

一个华丽的圈。

“我向你保证——a-s-s-u-r-e, assure，我非常友好——n-i-c-e, nice。”说到这儿，他又飞到货车上，扑闪着翅膀，大口大口地喘息着说：“现在，你说一个最难的词，我肯定能拼出来。快点，考我！”说完他不耐烦地上下跳跃着。

他看起来很友好。米洛想，但他并不知道一只友好的蜜蜂是什么样子的。他仔细思索着难拼的词。“蔬菜。”最后他建议，因为他自己就不会拼这个词。

“这个很难。”蜜蜂边说边对卖字母的商贩眨眨眼睛。“让我想一想，嗯……”他眉头一皱，在货车上踱来踱去，“我有多少时间答题？”

“只有十秒钟，”米洛兴奋地说，“咔嗒，快计时。”

“好的，好的，好的。”蜜蜂叨叨着，又紧张地踱起步来。快到时间的时候，他开始迅速拼读：“v-e-g-e-t-a-b-l-e, vegetable, 蔬菜。”

“正确！”卖字母的商贩说。大家欢欣雀跃。

“你什么都能拼吗？”米洛羡慕地问。

“差不多吧。”蜜蜂回答，语气里透出一丝丝的骄傲，“你看，几年前我只是一只平凡的蜜蜂，每天只是闻闻花香，偶尔在人们戴的帽子上逛逛。忽然有一天，我认识到没有文化我永远不会成功，由于我天生擅长拼写，所以就

决定……”

“胡说八道！”忽听“轰隆隆”一声巨响，一只巨大的甲虫从货车后踱出来。他披着华丽的大衣，穿着格子裤和格子马甲，套着鞋罩，还戴着一顶圆顶窄边礼帽。“让我重复一遍——**胡说八道！**”他再次大喊，转转拐杖，敲了敲自己的脚后跟。“好了，你们不要无礼了，谁能把我引荐给

这个小男孩啊？”

“这位，”蜜蜂无比蔑视地说，“是骗人虫，一个大骗子！很不讨人喜欢。”

“**胡说**！大家都喜欢大骗子！”骗人虫说，“正如我前几天和国王说的那样——”

“你从来没见过国王！”蜜蜂愤怒地反驳，然后他转向米洛说，“不要信这个骗子的鬼话！”

“**胡扯**！”骗人虫说，“我来自一个古老而高贵的家族——神圣昆虫家族。我们和‘狮心王’理查德一起参加了十字军东征，和先锋军队一起经历了激战的考验。今天，我们家族中的很多人都在世界各国的政府里做大官。我们家族在历史上创造了丰功伟绩。”

“真了不起。”蜜蜂讥讽道，“你为什么还不赶紧走开？我正在给这个小男孩讲拼写的重要性。”

“呸！”骗人虫把一只手放到米洛肩上，“要是你学会了一个词，人们就会让你学第二个。你永远都学不完——费那么多工夫干什么？听我的，孩子，都忘了吧。因为我祖父的祖父的祖父乔治·华盛顿曾经说过——”

“先生，”蜜蜂兴奋地说，“你是一个骗子，连自己的名字——n-a-m-e, name——都不会拼的骗子。”

“学拼写简直就是智力低下的标志！”骗人虫怒吼道，

手里的拐杖在空中狂舞。

米洛没听清他在说什么，但是这句话把蜜蜂惹怒了，他冲下来，用翅膀把骗人虫的帽子撞了下来。

“小心！”骗人虫甩拐杖的时候，米洛喊道。骗人虫抓住了蜜蜂的一只脚，把一盒子的 W 都打翻了。

“我的脚！”蜜蜂喊道。

“我的帽子！”骗人虫喊道。

战斗继续进行。

骗人虫的拐杖在风中狂舞，拼写蜜蜂小心躲闪着，伺机进攻。人群都远远地朝后退去，害怕卷进争斗中。

“不要打了，有话好说——”米洛大喊：“**小心！**”但是一切都太晚了。

狂怒的骗人虫不小心绊倒，一下子跌倒在摊位上。随着一声巨响，货摊一个连着一个倒下，就像多米诺骨牌一样，市场上所有摊位都被弄翻，整个广场陷入一片混乱。

蜜蜂不小心被彩带缠住，跌倒在地上。米洛被蜜蜂撞到，一下子倒在了他身上。蜜蜂大喊：“救命！救命！有人压住我了。”他全身沾满了字母的汁水，在被压坏的字母里艰难爬行。咔嗒也被压在了一堆字母下面，身上的闹钟疯狂地响个不停。

5
巫婆与“哪个”

“瞧瞧你们都看了什么！”一个商贩愤怒地喊道。其实他是想说“瞧瞧你们都干了什么”，但是词语已经陷入一片混乱，没有人能把话说清楚。

“收拾我们还吧是东西！”另一个抱怨道。大家听了，都忙着收拾起来。

接连几分钟，没有人能说一句通顺的话，这让一切乱上加乱。不过很快，摊位就收拾好了，词语也被堆在一起，等待挑拣分类。

拼写蜜蜂见事态发展得如此严重，早就一溜烟飞走了。米洛刚站起来，就看见一大群词语国的警察涌了过来，嘴里的哨子尖利地响着。

“一会儿我们就能调查清楚事情的起因了。”有人说，“‘都有罪’警长来了。”

一个米洛所见过的个子最矮的警察从广场对面大步走来。他不到两英尺高，却有四英尺宽。他穿着一身蓝色的制服，系了一条白色的腰带，戴着一副白手套，头上戴一顶大檐帽，表情凶巴巴的。他边走边不停地吹着口哨，脸憋得和猴子屁股一样红，大声朝所有人嚷嚷“你有罪，你有罪”，一直走到米洛面前。接着，他转身看着咔嗒，听见咔嗒身上的闹钟还在嗡嗡作响，便说：“把狗的闹钟关掉，在警察面前响铃有失恭敬。”

他在黑色的笔记本上记下了这件事，然后双手背在身后，踱来踱去，巡视着市场上慌乱的景象。

“很好，很好！”他脸色阴沉地说，“这是谁干的好事？赶紧站出来，不然我把你们都抓起来。”

很长一段时间鸦雀无声。因为看到这起事故如何发生的人很少，所以没有人说话。

“你——”警长用手指指向正忙着拂去身上的尘土、扶正帽子的骗人虫，“你看起来很可疑。”

骗人虫吓坏了，拐杖立即从手中滑落，他紧张地回答道：“我向您保证，警长，以我的名誉发誓，我只是一个无辜的看客。当时我正忙着在市场上看热闹，忽然，这个小

男孩……”

“啊哈！”都有罪警长打断了他的话，在小本子上记下了这件事，“和我想的一样，男孩子们是所有祸事的根源。”

“对不起，”骗人虫说，“我没有说这是因为……”

“闭嘴！”警长挺直了身子，双眼睁得像铜铃一般，紧紧瞪着吓坏了的骗人虫。“现在告诉我，”他对米洛说，“七月二十七日晚上你在哪里？”

“这和今天的事有什么关系？”米洛问。

“那天是我的生日，这就是关系所在，”警长一边说，一边在笔记本上记下“忘记了我的生日”，然后说：“男孩子总是会忘记别人的生日。”

“你犯了下列罪行，”他接着说，“你的狗身上的闹钟没有取得使用授权，你导致了混乱，打翻了小推车，搞破坏，把词语都压坏了。”

“这是诬陷好人！”咔嗒愤怒地咆哮道。

“违法咆哮！”警长一边对着大狗皱眉头，一边在笔记本上写道，“只有配备吠叫计量器的狗才能吠叫。你准备好接受惩罚了吗？”

“只有法官才有处置犯人的权力！”米洛说，他想起了在学校的课本上学到的东西。

“说得好！”警长回答，他摘下大檐帽，穿上了一件黑色的长袍，“我就是法官。现在，你想要短点的宣判还是长点的？”

“还是短的吧。”米洛说。

“好。”法官接连敲了三次法槌，“我总是记不得长的。‘我是’怎么样？这是我知道的最短的判决。”

大家一致同意，认为这是非常公正的惩罚。法官继续说：“你得在监狱里蹲六百万年。结案！”他宣布道，然后再次敲了法槌，“跟我走，我要把你带到地牢里去。”

“只有监狱里的看守才有权力把我关进牢里。”米洛又想起了课本里的内容。

“说得好！”法官说道，他脱下长袍，拿出一大串钥匙，“我就是监狱的看守。”接着他就要把他们带走。

“抬起头！”骗人虫喊道，“也许他们会因为你举止有涵养，给你减一百万年的刑。”

监狱沉重的大门被缓缓推开，米洛和咔嗒跟着警长走进了一条长长的阴暗过道，里面偶尔闪现一点蜡烛的光亮。

“看好了，别摔着。”警长沿着陡峭的环形楼梯朝下走的时候说。

空气里有一股潮湿的霉味，就像是潮湿的地毯发出的气味，楼梯旁边的石墙黏糊糊的。他们一直朝下走，一直朝下走……直到看见另一扇更大更重的门。米洛的脸碰到

了蜘蛛网，他全身发起抖来。

“你会觉得这里的生活很惬意。”警长咯咯笑着说。他拉开门闩，推开咯吱咯吱响的大门。“没有太多伙伴在这里陪你，但是你可以和巫婆聊天。”

“巫婆？”米洛的声音在发抖。

“是的，她已经在这里待了很长时间了。”警长一边说，一边朝另一条走廊走去。

几分钟过后，他们已经穿过了三道门，通过了一座狭窄的天桥，走过两条通道，迈过一段楼梯，来到了一间小小的牢房门前。

“到了，”警长说，“这里像家一样，什么都有。”

门被打开，然后关上。米洛和咔嗒发现他们站在一间有着拱形屋顶的牢房里，墙上有两扇小小的窗户。

“六百万年之后再见！”都有罪警长说道。他的脚步声越来越模糊，最后消失了。

“看起来糟透了，不是吗，咔嗒？”米洛忧伤地说。

“确实！”闹钟狗回答，然后四处嗅闻，查看牢房的样子。

“我不知道接下来要做什么。我们没有国际象棋可以下，也没有彩笔画画。”

“别担心，”咔嗒低吠道，举起一只爪子安慰米洛，“肯

定会有事情干的。你帮我上上弦好吗？我的秒针已经不走了。”

“你知道吗，咔嗒？”米洛一边给狗上弦一边说，“把词语弄混或者不知道怎么拼写就会惹来这么多的麻烦。要是哪一天我能出去，一定学好所有的词。”

“你这种想法很值得表扬，年轻人。”牢房角落里传来一个微弱的声音。

米洛抬头看去，惊奇地发现一个面容慈祥的老婆婆正在灰暗的灯光下安静地做着针线活。

“您好！”他说。

“你好！”她回答。

“您最好小心点，”米洛善意地提醒道，“我听说这里有一个巫婆。”

“我就是那个巫婆。”老婆婆不在意地说，拉紧身上的披肩。

米洛吃惊地往后一跳，迅速抓住咔嗒，怕他的闹钟失控地响起来——他知道巫婆最讨厌噪音。

“别害怕，”老婆婆笑着说，“我不是巫婆——我是‘哪个[①]’。”

“哦……”米洛不知道说什么好。

“我的名字是‘**哪个**’，不是邪恶的‘巫婆’。”她继续解释，“而且我绝对不会伤害你。”

“什么是‘哪个’啊？”米洛问，他松开咔嗒，朝老婆婆走近几步。

“好吧，我告诉你。”老婆婆说，一只老鼠从她脚下匆匆溜过。“我是国王的姑姑。我一直负责为不同的场合挑选

---

①英文“哪个”（which）和“巫婆”（witch）发音相同。

合适的词语。挑出应该说的词，拣出不应该说的词；挑出用于书面语的词，拣出不应该用于书面语的词。你可以想一下，我要在成千上万的词语中挑选，这可以说是一件最重要而且责任最重大的工作。我被任命为‘哪个长官’，这让我感到很光荣也很自豪。

“刚开始，我尽力确保只有最适合以及最恰当的词语才能够被使用。这样所有的事都能用最简单最清楚的语言说出来，不会浪费任何词语。我在宫殿和市场贴上了告示，上面写着：

简洁是智慧的好帮手！

“但是权力会腐蚀一个人的心灵。很快我就变得越来越小气，挑选出的词越来越少，而把更多的词留给自己。我贴上了新告示，上面写着：

用词不当是傻瓜才会做的事！

“很快，市场上的贸易越来越少。人们不再像从前一样热心购买词语，结果王国的日子越来越艰难，我也变得越来越吝啬。很快，人们就只剩下很少的词语，这些词几乎不能表达清楚任何意思。然后我就竖起了新的告示，上面写着：

傻子说话，智者沉默！

“最后我贴上了另一个更简洁的告示：

沉默是金！

“所有的交谈都停止了。一个词语都卖不出去，市场关闭了。人们变得越来越穷，越来越闷闷不乐。国王知道了这件事，勃然大怒，把我投入了地牢。这就是你现在看到的我，一个年老却越来越睿智的妇人。

“这都是好多年前的事了，”老婆婆继续说，“但是他们没有再任命‘哪个长官’，这就是为什么今天人们想用什么词就用什么词，说的话别人听不懂，还觉得自己很聪明。因此你要记住，说得少不好，说得太多更是个大问题。”

她一说完，就重重地叹着气，拍了拍米洛的肩膀，开始重新做起活来。

“您从那时候起就一直被关在地牢里吗？”米洛同情地问。

“是的。”老婆婆难过地说，“大多数人已经完全忘记了我，或者认为我是一个巫婆，而不是‘哪个’。但是这都不重要了，不重要了，因为这两者都很可怕。”

“我不认为您可怕。”米洛说。咔嗒也摇摇尾巴以示赞成。

“非常感谢你。”老婆婆说，“我的名字叫梅丽·柯帕，你可以叫我没力婆婆，我已经不中用了。给，这是一个标点符号。”她从装满了裹有糖衣的问号、句号、逗号以及感叹号的篮子里拿出一个给米洛。“这是我每天吃的东西。”

“我出去后，会帮助您的。”米洛保证说。

“你真善良！”老婆婆说，“但是唯一能帮我的只有韵律和理性的回归。”

“什么的回归？”米洛问。

“韵律和理性。”她重复道，“但这是另外一个长长的故事了，你肯定不想听。”

“我们都很想听。”咔嗒吠道。

“我们真的很想听您讲。”米洛也说。于是“哪个”婆婆身体前后摇晃着，将故事娓娓道来。

6
“哪个”婆婆讲的故事

很久以前，这片土地还是一片荒原。岩石山上常常狂风大作，山谷一片贫瘠。几乎任何作物都不能生长，极少数生长出来的植物也是扭曲的，果实像苦艾一样苦涩。地上不是沙就是岩石。黑暗的恶魔盘踞在山林之间，险恶的生物横行霸道。这里本来是这样一片荒芜之地。

有一天，智慧之海上出现一只小船。船上载着一个寻找未来的王子。他以善意和真理的名义发誓要统治所有的土地，然后就开始出海航行，探索新领地。看到王子这么自信，恶魔、妖怪和巨人都很生气，他们聚在一起，发誓要把王子驱逐出去。于是，这片土地上发生了战争。战争结束，王子只剩下一小片靠海的土地。

“我要在这里建造我的城市。”他这样说，也是这样做的。

不久，更多的船只给这片土地带来了定居者，城市慢慢地发展壮大，疆域越来越广。每天，这个新城市都会受到攻击，但是没有什么能够摧毁王子的新领地。城市在发展，慢慢地就不再只是一座城市了，而是变成了一个王国，

于是有了智慧王国。

但是，王国城墙的外面仍然非常危险。新国王发誓要统治所有应当属于他的地方。于是每年春天，他都要带着军队出征，秋天再回来。年复一年，王国的疆域不断扩大，也越来越富强。国王给自己选了一位妻子，很快他们就有了两个男孩，他把自己所有的经验都传授给孩子们，希望将来他们能够英明地统治这个国家。

男孩成年之后，国王把他们叫到身边，说："我已经老了，不能带兵打仗了。你们必须代替我去荒芜之地打下自己的江山。因为智慧王国的疆域必须继续扩大。"

他们照做了。一个去了南方，来到了困惑丘陵的脚下，创建了词语国；另一个去了北方，到了无知山的脚下，创建了数字国。两个王国都得到了发展壮大，恶魔被赶到了更偏远的地方。很快，新的土地上建起了许多城市和乡镇，最后只有荒芜之地这片最偏远的地方，还被可怕的生物统治着——他们伺机摧毁那些胆敢靠近的人。

兄弟俩很高兴可以在不同的地方创建自己的王国，因为他们天性多疑，妒忌心强，每一个都想比另一个更强大、更出风头。他们都辛勤地工作，不久之后，他们的王国就比智慧王国的疆域还要宽广，国力也比智慧王国强大。

"词语要比智慧重要多了！"两兄弟中的一个私下里这么说。

"数字要比智慧重要多了！"另一个说。

他们越来越不喜欢对方。

老国王一点都不知道两兄弟心中对对方怀有的仇恨，他只管在皇家花园里享受晚年的美好时光，每天安静地散步和沉思。他唯一的遗憾是没有女儿，因为他喜欢男孩，也喜欢女孩。有一天，他像往常一样在花园里静静地散步时，

忽然在葡萄树下发现了一个篮子，里面有两个被人遗弃的婴儿——两个金发的女娃娃。

“她们是上天赐给我的福佑！”国王开心地喊道。他把皇后、大臣、侍从……可以说整个王国的人都叫了来，让他们来看看这两个婴儿。

“我要给其中的一个取名韵律，另一个叫理性。”因此她们就成了甜美韵律公主和纯粹理性公主，在宫中快乐地成长。

老国王把王国平分给两个儿子，前提是他们要照顾两位公主。老国王去世后，词语国的 ABC 国王和数字国的 123 国王信守诺言，把两位公主照顾得很好，在智慧王国里快乐地成长。

所有人都爱他们的公主，因为她们不但美貌大方，而且性格温柔，还能合理公平地解决所有纠纷和争执。只要遇到了麻烦或者陷入了争吵，人们就会从四面八方赶过来，请两位公主拿主意。甚至争吵不休的两兄弟，也常常来找公主商议国家大事。所有人都说“韵律和理性能够解决所有问题”。

随着时光流逝，两兄弟的关系变得越来越糟。他们的王国越富强，他们之间的矛盾就越难以调和。但是两位公主总是能够充满耐心和爱意地解决他们之间的冲突，把事

情处理好。

后来有一天，两兄弟大吵了一架。ABC 国王说词语比数字重要得多，而 123 国王认为数字比词语重要得多。他们不停地争吵、辩论、咆哮，甚至怒骂，最后就要动手打起来。无奈之下，他们只好决定把这个问题交给两位公主来裁决。

经过几天几夜的思索，评估了所有理由，参考了所有证词后，公主们做出了如下裁决：

“词语和数字同样重要，因为在知识这件神圣外衣里，它们一个是经线，一个是纬线。数沙子和给天上的星星命名一样重要。因此，你们不要争吵了，让王国平静吧。”

听到这个裁决，大家都很高兴。不过这两兄弟却非常愤怒。

“要是这两个女孩子不能明断是非，她们的裁决有什么意义呢？”他们抱怨道，都坚信自己更强大，不相信他们同等重要。“我们要把她们永远驱逐出王国。”

然后，公主们被赶出了王宫，送到了空中城堡，之后再也没有人看到她们。所以今天这里不再有韵律和理性。

“那两兄弟后来怎么样了？”米洛问。

“把两位公主赶出去是他们最后一件意见一致的事。很快，他们就开始了战争。尽管如此，他们的王国还是在不断地发展壮大，可是智慧王国却衰败了，没有人能把事情做好。所以，你看，要是韵律和理性不回来，我还得待在这里。”

“也许我们能够拯救她们。”米洛看到“哪个”婆婆这么忧伤，就安慰她。

“啊，这会很困难，”老婆婆回答，“空中城堡离这里很远，而且唯一一条通道被凶残的、坏心肠的恶魔控制着。”

咔嗒身上的闹钟发出不祥的响声，因为他连想都不敢想世上竟然会有恶魔这种可怕的生物。

“我看一个小男孩和一条狗做不了什么大事。”老婆婆说，“不过你不要着急，这没什么，我已经习惯了这里的生活。可是你一定要出去，否则这一天就白白浪费了。”

“可是，我们要在这里待六百万年，”米洛叹息说，“我也没有找到越狱的通道。”

“瞎说！”老婆婆批评他，“你不要把都有罪警长的话当真。他喜欢把人放到监狱里，但从来不管犯人在不在监狱里面待着。现在你只要按一下墙上的按钮，就可以出去了。”

米洛按了一下按钮，门果然开了，耀眼的阳光照了进来。

“再见，再见！”老婆婆喊道。

他们走了出来，身后的门关上了。

米洛和咔嗒在灿烂的阳光下眨了眨眼，等眼睛习惯了外面的光线，就看见国王的五位内阁成员冲着他们走来。

“啊，你在这里。”

“你去哪儿了？”

“我们一直在找你。”

“皇家宴会就要开始了。”

“跟我们来。”

他们很激动，一路气喘吁吁的。米洛跟在他们后面。

“我的车在哪儿？”米洛问。

“不需要它。”定义公爵说。

“不会用到它。”意义部长说。

“那是多余的东西。”本质伯爵说。

“它没有必要。”内涵侯爵说。

“用不着它。”理解次长说，“我们会用我们自己的车。”

“交通工具。”

“装备。”

“游览车。”

“双轮战车。”

“轻便马车。”

“四轮大马车。”

“有篷马车。”

“双轮轻便马车。”他们一个接一个飞快地说着，然后指向一辆小小的木车。

“哦，天啊，又说了这么多。”米洛一边和咔嗒以及五位内阁成员爬进马车，一边困惑地问，“你们怎么让车开动，因为没有……”

“安静！”定义公爵说，“我们只要不说话，车子就会发动起来。”

果然如此！他们都安静地坐在车里，车子飞快地动了起来，穿过一条条街道，很快就来到了皇宫大门前。

7 皇家宴会

“这边走。”

“跟我来。”

“走这边。”

“请快一点。”

“走这里。”

五位绅士边招呼着，边从车上跳下来，顿时把大理石铺成的通道堵住了。米洛和咔嗒紧紧地跟在他们后面。宫殿很奇怪，要是米洛事先不知道这是宫殿，会认为它是一本巨大的书。书竖在地上，书脊处正好是宫殿的入口，这一般也是放出版社名字的地方。

一进门，他们就沿着一条长长的通道朝前走。通道里

挂满了水晶吊灯，墙壁和天花板上镶满镜子。人影不时在镜中晃动，脚步声在空空的走廊里回荡，周围的侍从们冷冷地向他们鞠躬。

“我们肯定是来晚了。”走到宴会厅的大门前，定义公爵紧张地说。

大厅很大，里面全是人，大家都在热烈地聊天和争论。长长的餐桌上铺满金盘子和亚麻餐巾，每把椅子后面都有

一个侍从。大厅的正中间有一把高于其他椅子的王座，上面铺了一块深红色的天鹅绒。王座后面的墙上，挂着王国的盾形纹章，纹章两边悬着词语国的国旗。

米洛又见到了他在市场上见过的那些人。字母商贩正忙着和一群人兴致勃勃地讨论字母 W 的历史。在一个角落里，骗人虫和拼写蜜蜂不知道又在争论什么。都有罪警长在人群中走来走去，嘴里不停地嘟囔着“有罪，有罪，他们都有罪”。一看到米洛，他的脸色立即放晴，走过来说：“已经过去六百万年了吗？天啊，时间过得多么快啊！”

大家刚才还在为不能马上吃午餐而抱怨，这会儿看到这群迟到的客人，都喜笑颜开。

“你可来了，老伙计！”骗人虫故作亲热地碰了碰米洛的手臂，“作为被邀请的嘉宾，你必须为我们点菜。”

“啊，是吗？”米洛不知道说什么好。

“快想想点什么菜。”蜜蜂说，“我快饿死了，h-u-n-g-r-y, hungry, 饿。”

米洛开始琢磨这个问题。忽然，传来一阵震耳欲聋却完全不着调的鼓声。不一会儿，一个侍从进来宣布：**“词语国 ABC 国王驾到！”**

国王大步走进来，把庞大的身躯塞进王座后，不耐烦地喊道：“请坐，大家请坐。”

米洛从来没有见过像他一样身躯庞大的人。他有一双大大的眼睛，一个圆滚滚的肚子，灰白的胡子垂到了腰际，左手的无名指上戴着一枚银戒指，头上戴着王冠，身上穿了一件绣满字母的长袍。

“我们的客人是谁？”当大家都坐下的时候，他盯着咔嗒和米洛问。

“陛下，”米洛说，“我是米洛，他是咔嗒。非常感谢您邀请我们参加您的宴会。您的宫殿很漂亮。”

“无可挑剔！”定义公爵纠正道。

“很可爱！”意义部长建议。

“很壮观！”本质伯爵提示。

“很秀气！”理解次长补充。

“很迷人！”内涵侯爵总结道。

“安静！”国王命令，“年轻人，你有什么拿手好戏吗？会唱歌吗？会讲故事吗？会写歌词吗？会变戏法吗？会打滚儿吗？你到底会什么？”

“我什么都不会。”米洛坦白。

“真是一个平凡的男孩子。”国王评价说，“我的内阁大臣什么都会。公爵能够把小东西变成大山；部长能够劈开头发；侯爵在天气好的时候能够晒稻草；伯爵能一路走，一路把所有的石头都翻过来；还有次长，”他接下来的话不那

么吉利，“能够用一根头发把自己吊起来。你什么都不会吗？”

“我能数到一千！”米洛说。

“啊，啊，数数！不要在这里提数字。我们只在必须用数字的时候才会提到它。”ABC 国王厌恶地说，“你和咔嗒

为什么不过来？在我的身边坐下，这样我们就能共进晚餐了。”

“你想好菜单了吗？”骗人虫提醒说。

“想好了。”米洛想起他妈妈说的，在别人家里做客，吃简单点就好。“我们吃得简单[1]点怎么样？”

①简单，原文所用单词为“light”，也有“光”的含义。

“那就是一道五光十色的菜肴！”骗人虫边喊边挥舞着手臂。

侍从们端着巨大的盘子走进来，把盘子摆在了国王面前。国王一打开盘子上面的盖子，颜色绚烂的光线就从里面跑了出来，在天花板上、墙壁上、地板上和窗户上肆意跳跃。

“这可吃不饱。”骗人虫揉了揉双眼，“但是很好看。也许你可以点一些能吃饱的菜。”

国王拍拍手，盘子就被撤走了。米洛不假思索地说：

“那我们就来一桌让人吃得饱饱的晚餐[①]吧……”

“四方形的晚餐。”骗人虫再次喊道。国王拍拍手，侍从们再次端着盘子进来，盘子里全是颜色大小不同的四方形饭菜。“啊，”蜜蜂拿起一个尝了尝，“这好像不怎么样。”

似乎没有人喜欢这些食物。骗人虫刚吃了一块点心，喉咙就被卡住了，他几乎背过气去。

盘子再一次被撤走，大家看起来都垂头丧气。“你们要说点什么！你先来！”国王指着米洛说。

“陛下，女士们和先生们，”米洛怯怯地说，“我想借此机会说……”

“够了，”国王插话说，“不能把一整天都浪费在说话上。”

“但是我才刚开始。”米洛抗议。

“下一个！”国王喊道。

“烤火鸡、土豆泥、薰衣草冰激凌。”骗人虫一边说一边跳上跳下。真是奇怪的演讲！米洛想。他过去听过很多次演讲，每一次都又长又无聊。

“汉堡包、烤甜玉米、巧克力布丁——p-u-d-d-i-n-g, pudding。”轮到蜜蜂的时候，他这样说。

“法兰克福香肠、醋渍酸黄瓜、草莓酱。”都有罪警长

①让人吃得饱饱的晚餐，原文是“square meal”，“square”也有正方形的意思。

坐在座位上喊道。因为他坐着要比站着高，所以不用麻烦站起来了。

就这样，大家挨个站起来说几样想吃的，然后坐下。都说完后，国王站了起来。

“肥鹅肝酱饼、银丝干贝汤，要由大厨精心制作；沙拉、土豆、水果，还有小杯咖啡。”他慢慢说完，然后鼓起掌来。

侍从很快又端着沉沉的、热气腾腾的盘子进来了，盘子里装着人们刚才说的食物，客人们都胃口大开，大吃起来。

“开吃吧！”国王用胳膊肘碰了碰米洛，不满意地看着米洛的盘子，“我不敢说我喜欢你的选择。”

“我刚开始不知道我要吃掉自己说的话。”米洛抗议。

“当然，当然，这里的人都是这样做的。”国王抱怨，“你的演讲应该更加美味一些。”

米洛环顾了一圈，发现每个人都在埋头大吃，他又看了看自己的盘子，一点胃口都没有。可他真的很饿。

“给，尝一下‘翻跟斗’。”定义公爵建议，“好吃极了。”

“品尝一下‘废话’。”本质伯爵把面包篮子递给他。

“或者试试‘衣衫褴褛的人’？”意义部长建议。

“你想试试‘同义词小圆面包’吗？”定义公爵问。

“为什么不等你的点心来了再吃？”本质伯爵含糊不清地说，因为他嘴里塞满了食物。

“我得说多少次你才不会在嘴里塞满食物？”理解次长拍了拍本质伯爵的后背，因为本质伯爵已经被食物噎得喘不过气来了。

“全当耳旁风。”定义公爵也在责备本质伯爵。

“要么这儿出错，要么那儿出错，没完没了。”意义部长斥责道。

“这真是不自量力。”内涵侯爵喊道。

“好了，你们不需要对我大发脾气。”愤怒的本质伯爵尖声喊着，飞快地朝他们冲过去。

五个人钻到桌子下面打了起来。

“快住手！”ABC 国王怒吼道，“否则我把你们都赶出去！”

“对不起。”

“不好意思。”

“原谅我。”

“饶恕我。”

“我错了。”

他们一个接一个地道歉，然后坐下来看着彼此，眼里还燃烧着一团怒火。

晚餐在一片寂静中结束。国王擦了擦背心上的肉汁油渍，开始叫点心。没有吃任何东西的米洛急切地抬头盼望着。

“今天我们有一道特殊的点心。”国王说。这时点心的香味已经弥漫了整个大厅，“依照我的命令，点心师傅在半个面包房忙了整晚——”

“半个面包房？”米洛不解地问。

“当然，半个面包房。”国王继续说，“你以为‘半生不熟的观点’这种点心是从哪里来的？不要打断我。依照我的命令，点心师傅在半个面包房忙了整晚——”

“什么是半生不熟的观点？”米洛再次问道。

“你能不能安静点？”ABC 国王愤怒地咆哮起来。可是他话音未落，三辆大餐车已经被推进了大厅。大家都站起来去帮忙。

“点心很好吃，”骗人虫说，“但是你可能不这样认为。

这个真的很不错。”他递给米洛一块点心。透过糖衣和坚果，米洛看到点心上写着“**地球是平的**”。

“人们吃这个点心已经好长时间了，”蜜蜂解释说，“但是最近这点心不流行了。”他拿起一块长长的点心，上面写着“**月亮是由绿色的奶酪制成的**”，然后迅速把“**奶酪**”那两个字吃掉。“这就是一个半生不熟的观点，幼稚。”他微笑着说。

米洛发现，大家几乎没看完点心上的文字，就把它们吃掉了。本质伯爵正在大口咀嚼“**要下就下倾盆大雨**”，国王正忙着把写有“**晚上的空气不新鲜**”那块点心切成薄片。

“我要是你的话，就不会吃这些点心。”咔嗒说，“它们看起来很好吃，但是吃了之后肯定会生病。”

“不要担心。”米洛说，“我只包一块，留着以后吃。”说着，他把“**事情都会朝最好的方向发展**”这块点心包在了餐巾纸里。

8
骗人虫主动请缨

“再也吃不下了。”定义公爵边打嗝边摸了摸自己的肚子。

“哦，天啊，哦，天啊。”意义部长同意定义公爵的话，他现在连呼吸都困难。

“嗯——嗯。”本质伯爵嘟囔道，还想往嘴里塞另一堆食物。

“肚子填满了。”内涵侯爵叹息着，松了松裤腰带。

“饱了。”理解次长抱怨道,手还是伸向了最后一块蛋糕。

大家都吃饱之后，唯一能听见的声音就是椅子的咯吱声、盘子的碰撞声、舔勺子的吧唧声，以及骗人虫的几句废话。

“真是一顿丰盛的晚餐，准备充分，上餐也快。”骗人虫自言自语，“真是一场罕见的盛宴。我感谢厨师，感谢厨师。”忽然，他脸上挤出痛苦的表情，大口喘着气对米洛说：“能给我拿杯水吗？我有点消化不良。”

“也许你吃得太多太快。”米洛同情地说。

“吃得太多太快。”骗人虫气喘吁吁，“当然，吃得太多太快。我当然应该吃得更少，或者吃得更慢，或者吃得多但吃得慢，或者吃得少但吃得快，或者一整天什么都不吃，或者迅速把所有东西都吃掉，或者偶尔吃点东西，或者也许我应该……”他朝后躺在了椅子上，筋疲力尽，嘴里还不停地嘟囔着。

“注意！大家请注意！”国王站了起来，敲了敲桌子。可是，这个命令完全没用。因为他一开始说话，所有的人，除了米洛、咔嗒以及筋疲力尽的骗人虫，都冲出大厅，离开了宫殿。

“各位国民，”ABC国王说，他的声音在空空的大厅里回荡，“在这个欢庆的场合，我们……”

“不好意思，”米洛尽可能低声地打断他，“大家都已经走了。”

“我希望没有人注意到这一点。”国王悲伤地说，“每次都是这样。”

“他们都跑去吃晚餐了，”骗人虫虚弱地说，“一旦我喘过气来，就会加入他们。”

“这很可笑。他们怎么能刚吃完一顿又接着吃下一顿呢？”米洛问。

“**真是丢人！**”国王喊道，“我们应该禁止这样的事。从现在开始，皇家法令规定，所有人参加完国王的宴会之后不能再吃晚餐。”

“但是这一样很糟糕。”米洛抗议。

“你应该说一样好。”骗人虫说，“同样糟糕也是同样好。你可以试着只看事情的光明面。”

“我不知道该看事物的哪一面。”米洛抗议，“一切都很混乱，你说的这些话只会让事情更糟糕。”

“说得真好！”不开心的国王用手托住下巴，开始回想过去的美好时光，“我们应该做一些事改变这种局面。”

“制定法律。”骗人虫兴奋地建议。

“我们这里的法律和词语一样多。”国王抱怨。

“那就悬赏。”骗人虫再次提议。

国王摇摇头，表情越来越凝重。

“求助。”

“讨价还价。”

“计时。”

“写一篇短文。”

“采取严厉措施。”

“服从命令。”

“寻找妙计。”

“把门关起来。”骗人虫挥舞着手臂，上蹿下跳。忽然，他看到国王愤怒的目光扫来，于是立即坐下了。

“也许您应该让韵律和理性回来。”米洛轻轻地说，他正等待一个好时机将这件事提出来呢。

“那样多好啊！”ABC国王挺了挺身子，正了正王冠，“虽然她们有时候很烦人，但是有她们在，事情就会好很多。”他边说边靠在了王座上，双手抱住脑袋，眼睛望着天花板，一副若有所思的样子，“但是恐怕这件事做不到。”

“当然，这件事根本办不到。”骗人虫重复着这话。

“为什么？”米洛问。

“为什么？”骗人虫叹了口气。他就像两面派，谁说话他就听谁的。

“太困难了！”国王回答。

“当然，”骗人虫强调，“太难了。”

“要是您想做就能做到。”米洛坚持自己的观点。

“无论如何，只要您真的想做，就能做到。”骗人虫也认同这种看法。

“怎么做？”ABC国王瞪着骗人虫问。

“怎么做？”米洛也瞪着骗人虫。

“这很简单！”骗人虫开始说，但他心里想，要是自己现在在别的地方就好了，“这对一个勇敢的男孩子、一条忠诚的狗以及一辆好用的小汽车来说非常简单。”

“继续说！”国王命令道。

“是的，请接着说。”米洛也催促他。

“他需要做的是，”一脸痛苦的骗人虫说，“穿越遥远的边疆，到达未知的山谷和无人去过的森林，经过陡峭的悬崖、了无人迹的荒原，到达数字国（当然，如果他能够走到那里）。

“然后他应该能够劝说数字国国王释放公主们——当然，数字国国王是不会同意任何您同意的事的。同样，如果他同意了，您就绝对不会同意。

“之后的事情就更简单了，他只需要到达无知山。那里陷阱无数，很多人去过那儿，却很少有人能够活着回来。因为山上有很多恶魔在游荡，寻找可能到手的猎物。在一个月黑风高之夜（这些山里只有黑夜），他爬上有两千级台阶的环形阶梯，到达空中城堡。”

他停了一会儿，喘口气，然后接着说：“和公主说一会儿话之后，剩下的就是轻松地回来。但是他还得穿过恶魔盘踞的悬崖。这些恶魔发誓要把每个入侵者的四肢都撕下来，还要把他们的上半身都吃掉。回来之后，会有一次胜利的游行（当然前提是他能够回来），到时候大家都会献上美味的热巧克力和饼干。”骗人虫说完，深深地鞠躬后坐下，对自己的发言很是满意。

“我从来没意识到事情如此简单。”国王摸了摸胡子，大笑起来。

“确实很简单。”骗人虫说。

“这对我来说很危险。”米洛说。

“太危险了，太危险了。”骗人虫嘟囔着，仍想和别人观点一致。

“派谁去呢？”咔嗒问，他一直耐心地听着骗人虫说话。

“这个问题问得很好。”国王说，“但还有一个更严重的问题。”

“是什么啊？”米洛问，见话题变来变去，他觉得很不开心。

“恐怕我只能在你回来的时候告诉你了。”说着，国王拍了三次手。侍者冲进房间，把盘子、银器、桌布、桌子以及椅子都拿走了，最后连大厅和宫殿都被收拾走了。他们发现自己站在市场上。

“当然，你知道我想自己去，”ABC 国王说。他在广场上大步踱着，对周围的一切视若无睹，“但是，因为这是你提出的想法，所以我就把这项光荣的任务交给你了，你理应获得所有荣誉。”

“但是您看……”米洛说。

“词语国会永远感激你的，孩子。”国王打断米洛，一手挽着米洛，一手拍拍咔嗒，“你会在这次旅行中遇到许多危险，但是不要怕，我会把这个送给你，它会保护你。”

国王从披肩里拿出一个书本一样大小的盒子，将它郑重地交给了米洛。

“盒子里是我知道的所有词语，”他说，“大多数词你可能永远用不到，不过有一些你会经常用到。有了这些词，你就可以问没有人回答过的问题，回答没有人问过的问题。而且所有过去以及将来的智慧之书都是用这些词写成的。有了它，你就没有不能克服的困难。你要学的就是好好使用它们，将它们用在恰当的地方。”

米洛感激地接受了这份礼物，然后他们一起朝停在广场边上的汽车走去。

“你当然需要一个向导，”国王说，“一个熟知所有艰难险阻的向导，那么骗人虫先生应该很高兴做你们的向导。”

“可是……”骗人虫吓了一跳，这可是他最不想做的一件事。

“你们会觉得骗人虫既可靠又勇敢，精力充沛、忠心耿耿。”ABC 国王说。听了这么多奉承话，骗人虫飘飘欲仙，几乎忘了要冒险的事。

“我相信他会帮上大忙。”米洛边走边说。

“祝你们好运，好运，一定要小心！”国王喊道。

米洛开车朝大路驶去。

米洛和咔嗒不知道接下来的旅程会有什么样的危险。骗人虫在想自己是怎么卷入这个危险的任务的。集市上的人用力挥舞双手，爆发出一阵阵欢呼，虽然他们不在乎来什么客人，但是看见别人离开还是很开心的。

9

向下长的男孩

很快，词语国的所有痕迹都消失得无影无踪。词语王国和数字国之间是一片未知之地。现在是傍晚了，远处深橘色的太阳快要落山了，丝丝凉爽的微风轻轻吹拂，树木和灌木丛也投下了长长的、慵懒的影子。

“啊，到大路了！”骗人虫深呼吸了一下，他已经认命，现在正在享受旅行的快乐。“冒险的精神、未知土地的神秘诱惑以及勇敢追求的冲动，这一切是多么伟大！”想到这里，他心满意足地抱着胳膊，靠在了座椅后背上。

没几分钟，他们就离开了田野，来到一片茂密的森林中。

这是观景大路，一直通到视野角。

一块很大的路牌上这样写着，但是恰恰相反，前面只有茂密的森林。随着车子的行进，树林变得越来越密，树木越来越高，树叶也越来越多，遮盖了整个天空。忽然，森林不见了，大路盘旋在宽阔的海岬上。上面、左面、右面，目力所及之处尽是一望无际的绿色。

“很壮观！”骗人虫兴奋地从车里跳了出来，仿佛他是这一切的缔造者。

“真是太美了！”米洛气喘吁吁地说。

“哦，我不知道这一切是否美。”一个陌生的声音说，“这取决于你看待事物的角度。”

“对不起，您说什么？”米洛问，虽然他根本没看见是谁在说话。

“我说这取决于你看待事物的角度。”那个声音重复了一遍。

米洛一转身，看见了两只干净的棕色鞋子，一抬头，发现站（假使可以使用“站”这个词的话，因为那个人悬在半空中）在他面前的是一个和他差不多大的男孩，只不过他的双脚离地面有三英尺高。

“举例来说，”男孩继续说，“假如你喜欢沙漠，你就不会认为这样的景色美。”

“这是实话。”骗人虫说，他可没胆子反驳一个双脚离地面这么高的人。

“比如说，”男孩继续说，“假如圣诞树是人类，人类是圣诞树，那么我们都会被砍下来竖在客厅里，身上挂满锡纸，而树木则在旁边拆礼物。”

“你说这个是什么意思？”米洛问。

“没什么意思，”男孩说，“但这是一件有趣的、可能会发生的事，你不这样认为吗？”

“你怎么能够这样站着？”米洛转移了话题，因为这是他目前最感兴趣的事。

“我也要问你一个类似的问题，”男孩回答，“你肯定比你的样子老很多吧？否则你不可能站在地上。”

“我不知道你在说什么。”米洛感到疑惑。

男孩子说：“在我家里，所有人一出生就在空中，我们头所处的高度正是成年之后的高度。然后，我们开始朝地面生长。等长大的时候，也就是长到地面的时候，我们的脚会碰到地面。当然，我们之中有一些人不管有多老，永远都不会碰到地面，不过我想每家都会有一些特例。”他在空中跳了几步，又跳回原来的位置，“你已经碰到地面，那么你应该已经很大了。”

“不。”米洛郑重地澄清，“我们家的人一开始就站在地

面上，然后朝上长，只有长大之后才知道我们有多高。”

“真是愚蠢。”男孩笑着说，“这样你的脑袋就会在不同的高度停留，那么你看事情的角度总是在变化。你看，你十五岁时看的东西和你十岁时看到的是不一样的，而等你长到二十岁，事物又会有变化。”

“我认为你说得很对！”米洛之前从来没有考虑过这个问题。

“我们看事物的角度永远都是一样的。”男孩说，“这样就省事多了。而且朝下生长比朝上生长有意义多了。年幼

的时候，永远不会因为跌倒而伤到自己；在半空中，鞋子也不会磨损，地板也不会留下痕迹，因为双脚根本就碰不到地面。”

“这是实话。”咔嗒在想家里的其他狗会不会喜欢这样的安排。

“但是有很多人不一样。”男孩说，“举个例子，你早餐喝橘汁，吃鸡蛋、面包片、沙拉酱，还喝牛奶。”他说着，转头看米洛。“你总担心人们浪费时间。”他对咔嗒说。“而你说的话永远都不正确，”他边说边指向骗人虫，“要是你说对了，那完全是一个意外。”

“你在胡说八道！”骗人虫愤怒地抗议，他不明白为什么这个悬在空中的小男孩能看穿他的花招。

“你懂得真多！”咔嗒说。

“你怎么什么都知道？”米洛问。

“这很简单。”男孩骄傲地说，“我叫阿列克·宾斯。我能看透一切。我能看见事物的本质、事物背后藏着的东西、与事物相关的一切、被事物掩盖的东西和接下来会发生的事。事实上，我唯一看不见的恰恰是眼前的事。”

“这样不是有点不方便吗？”米洛问，他的脖子因为老朝上看变得僵硬了。

“有一点。”阿列克说，“但是看透一件事非常重要。我的家人会帮我：爸爸管理事情，妈妈处理事情，哥哥看远处的事情，叔叔看事情的另一面，小妹妹爱丽丝负责眼皮底下的事。”

“可是她一直在空中，怎么能够看到眼皮低下的事？”骗人虫质疑。

“说得好。”阿列克说着，翻了个跟头，“她看不到的就会自动忽略。”

“那么我有可能看到你看到的东西吗？”米洛礼貌地问。

“你也可以，”阿列克说，“但是你必须像一个大人一样看问题才行。”

米洛努力试了一下，果然，他的双脚离开了地面，他也和阿列克一样站在空中了。他迅速朝四周看去，不一会儿，他就跌回了地面。

“有意思吗？”阿列克问。

“是的，很好玩。”米洛摸了摸摔疼的脑袋，拍了拍身上的尘土，“可是我认为我会一直像一个孩子一样看待事物。这样就不会老是跌倒了。”

“这个决定很英明，至少目前是这样。”阿列克说，“任何人都应该有自己看待事物的角度。”

“难道所有人看待事物的角度都不一样吗？”咔嗒问，惊奇地四处张望。

“当然。”阿列克回答，他坐在了半空中，“这只是我看待事物的角度。你不会从别人的角度看待问题。比如说，在我看来，这是一桶水。”他边说边指着一桶水，“但是对一只蚂蚁来说，这就是一片海洋；而对一头大象来说，这只是一杯冷饮；对一条鱼来说，这就是家。所以，你看，你看待事物的态度取决于你看待事物的角度。现在，跟着我，我带你们看看森林别的地方。”

他在空中飞跑，偶尔停下来招呼米洛、咔嗒以及骗人虫跟上，他们在地上紧跟着他。

“这里所有人都像你一样长大吗？”米洛一边紧跟阿列克的步伐，一边气喘吁吁地问。

“几乎所有人都这样。”阿列克说，然后他停下来，想了一会儿，“可是时不时的，总会有人长大的方式不一样。他们的双脚不是朝下生长，而是朝上生长。但是我们尽量阻止这样的事情发生。”

“他们会怎么样？”米洛刨根问底。

“会变得很奇怪，他们会长成正常人的十倍大小，”阿列克若有所思地说，“而且我听说他们会在星空中漫步。”说完这话，他又冲向森林。

10
演奏颜色的交响乐队

他们跑着的时候，身边高大的树木纷纷包围住他们，形成一个美丽的拱形，高耸入云。傍晚的阳光在树叶上轻快地跳舞，又顺着树枝和树干一路滑下来，最终坠落到地面，变成温暖的小块光晕。柔和的光芒照射万物，一切都看得清清楚楚，仿佛一伸手就能触到。

阿列克在前面狂奔，他一路大笑、狂喊，但是很快就遇到了麻烦。因为他总是只能看见远处的树，而看不见眼前的树，所以老是撞到。这样冲冲撞撞了几分钟之后，他们都有机会停下来喘口气了。

"我认为我们迷路了。"骗人虫气喘吁吁地说，一屁股坐在了浆果丛里。

“胡说！”阿列克坐在树枝上喊道。

“你知道我们在哪里吗？”米洛问。

“当然知道，”阿列克回答，“我们就在这里。迷路了不是说你不知道自己在哪里，而是说你不知道自己不在哪里——我根本不在乎我不在哪里。”

这句话实在是太高深了，骗人虫被弄得糊里糊涂的。米洛刚想好好回味一下这句话，阿列克又说：“要是你不相信我，可以去问巨人。”他指向两棵大树之间的一间小屋。

米洛和咔嗒走到门前。门上的铜牌上只刻了两个字——**巨人**。他们敲了敲门。

“下午好！”一个身材绝对正常的人开了门。

“你是巨人吗？”咔嗒一脸怀疑地问。

“百分之百确定。”他骄傲地回答，“我是世界上最小的巨人。我能帮你吗？”

“我们迷路了吗？”米洛问。

“这是一个很难的问题。”巨人说，“为什么你不去后门问一下侏儒呢？”他说完就关上了门。

他们走到后门。后门看起来和前门一模一样，门上有块一模一样的铜牌，只是上面写的是“**侏儒**”。他们敲了敲门。

“你好！”一个看起来和巨人没有丝毫区别的人开了门。

“你是侏儒吗？”米洛问，心里升起一丝怀疑。

“毫无疑问。”那人回答，“我是世界上最高的侏儒。你有什么事吗？”

“我们迷路了吗？”米洛又问。

“这是一个非常棘手的问题。”他说，“你为什么不去旁边问一下胖子呢？”然后他也很快消失了。

房屋的侧门和前门、后门完全一样，他们刚敲门，门就打开了。

“看到你们路过这里我很高兴。”开门的人说，他长得和侏儒一样。

“你是胖子吧？”咔嗒问，心里想，不要太相信外表。

“我是世界上最瘦的胖子。”他欢快地说，“如果你有什么问题，我建议你去问一下瘦子，他就住在房屋的另一侧。”

和他们想的一样，房屋另一侧的门和前门、后门以及另一个侧门一模一样。这次开门的人和前三个人也完全一样。

“看到你们真是开心！”他开心地喊道，“我这儿好久都没有客人来访了。”

“但是你刚刚已经见过我们了。”咔嗒说。

“哦，是吗？我已经忘了。”

“你是世界上最胖的瘦子吗？”咔嗒问。

“你以为还有更胖的瘦子吗？”那人不耐烦地说。

“我认为你们是同一个人。”米洛加重语气。

“嘘嘘嘘嘘嘘嘘嘘！”那人小心示意，把米洛拽进屋里，“你想把这一切都毁了吗？你看，和高大的人比起来，我是一个矮子；对矮子来说，我是一个巨人；对瘦子来说，我是一个胖子；对胖子来说，我是一个瘦子。这样我一个人就能扮演四个角色。事实上，你知道，我既不高也不矮，既不胖也不瘦，我只是一个平凡人。但是世界上平凡的人太多了，没人想去问他们的看法。现在你告诉我你的问题是什么。”

“我们迷路了吗？”米洛再次问。

“嗯。”那个人边说边挠头，“好久都没人问过这么难的问题了。你能再重复一遍吗？我一下子忘了。”

米洛又问了一次。

“我，我，”那个男人嘟囔道，“我只知道一件事，弄明白你现在有没有迷路比弄明白你过去有没有迷路难得多。因为很多时候，你想去的地方正是你现在所在的地方。另外，你常常会发现，你去过的地方并不是应该去的地方。要是你想回到从未离开的地方，从那儿找你该去的地方，我建议你立即去那儿，然后再决定。要是你还有问题，可以去问巨人。”然后他“砰”的一声关上门，拉上了窗帘。

“我希望你得到了满意的答案。”当他们离开小屋时，阿列克说。接着，他站起来，弯下腰唤醒打呼噜的骗人虫。于是他们又出发了，朝一块大大的空地跑去。

“有很多人住在森林里吗？”他们一起跑的时候，米洛问。

“哦，是的，他们住在现实城里。”阿列克撞到了很多小树，树上的坚果和树叶纷纷落下，“这条路通往那儿。”

走了几步，森林就消失不见了，映入眼帘的是华丽的大都市。屋顶像镜子一样闪闪发光，墙壁像镶满了成千上万颗钻石一样光彩熠熠，大道竟然是用银子铺成的。

“这就是现实城吗？”米洛一边喊一边冲向闪亮的街道。

“哦，不，这是幻觉城。”阿列克说，“现实城还在那边。”

“什么是幻觉城？”米洛问，这是他见过的最可爱的城市。

“幻觉城，”阿列克解释说，“就像是海市蜃楼。”不过他觉得这个词他们可能不理解，于是又解释道，“海市蜃楼是并不存在，但是你却能够看到的东西。”

“怎么能看到不存在的东西？”骗人虫打着哈欠说，他还没有完全清醒。

“有时候，幻觉比真实更简单。”阿列克说，“比如说，发生的事，你能用眼睛看到；如果没发生什么事，你闭上眼睛也会看得很清楚。这就是为什么人们更容易看到虚幻，而不是真实。”

“那么现实城在哪里？”咔嗒低吠着问。

“就在这里。”阿列克挥了挥手臂，“你现在正站在现实城的主干道上。”

他们仔细地看四周。咔嗒嗅了嗅空气的味道，骗人虫挥舞着拐杖，但他们还是什么都看不到。

“这是一个很欢乐的城市。”阿列克一边走一边说，还指了几个景点，但是米洛他们完全看不到。阿列克向路人脱帽行礼，只见路人们耷拉着脑袋朝前走，看起来都知道自己要去的地方。他们就这样在不存在的大路上冲来冲去，在看不见的建筑物里进进出出。

“我根本没看到什么城市。”米洛低声说。

“他们也看不到，”阿列克悲伤地说，“但是这不重要，因为他们根本不在乎。”

“住在一个自己完全看不到的城市可真困难。”米洛坚

持说。忽然，一排汽车冲了过来，米洛赶紧跳到一边。

“一点不困难，你只要习惯就好。”阿列克说，“让我告诉你发生了什么。很多年以前，就在这个城市，有很多漂亮的房子和美丽的景点，住在这里的人从来都不会步伐匆匆。很多街道都风光独好，人们都会驻足观看。”

“他们不去别的地方吗？”米洛问。

“当然去。”阿列克说，“但是，你知道，从一个地方到另一个地方去，最重要的事情就是观赏路上的风景，所以人们都很享受。可是，某一天，有人忽然发现，要是走得足够快，什么都不看，就会迅速到达目的地。很快，所有人都这么做了。他们匆匆忙忙地走过街道，完全不看路上优美的风景。”

米洛想起他也常常这样。即使开动脑筋冥思苦想，他也记不清回家的路上都有什么风景。

“没有人在乎旁的事物。他们走路的速度越来越快，一切也变得越来越丑陋、越来越肮脏。而丑陋和肮脏又让他们更加不想停下,所以脚步变得更快。因为没有一个人在乎，这个城市就开始慢慢消失。一天又一天过去，建筑物变得越来越模糊，街道也慢慢消失，直到最后一切都消失不见，什么都看不见了。”

“那人们没采取什么措施吗？”骗人虫忽然对这件事产

生了兴趣。

“没有。”阿列克说，“他们还是像往常一样生活，住在看不见的房子里，走在消失的街道上，谁也没注意这一切。他们一直这样生活，直到今天仍然如此。”

“没有人把这件事告诉他们吗？”米洛问。

“没用，”阿列克答道，“他们太着急了，永远看不到这一切。”

“他们为什么不到幻觉城生活？”骗人虫建议，“那个地方漂亮多了。”

“许多人确实生活在那里，”阿列克边说边朝森林走去，“但是住在一个你只能看到却不存在的城市，和住在一个你看不到却真实存在的城市里一样糟糕。”

“也许有一天能住在这样一个城市里：它就像幻觉一样真切，也像现实一样令人难以忘记。”米洛说。

“那只有把韵律和理性带回来才行。”阿列克微笑着说，他早已了解米洛的任务，“现在我们要快点，否则就会错过交响乐演奏会啦！”

他们紧紧地跟在阿列克后面，走上了几级看不见的台阶，迈进了一扇看不见的门。不一会儿，他们就离开了现实城，来到了和现实城完全不一样的森林里。

太阳慢慢地从视线中消失，远处的山顶上紫色、橘色以及金色的光线交织闪烁。天空中只剩下最后一束光芒在等着一群鹪鹩回家。心急的星星已经出现在了傍晚的天空中。

“我们到了！”阿列克喊道，挥手指向一支庞大的交响乐队，“好壮观啊！”

他们面前至少有一千位音乐家。左边和右边是大提琴和小提琴，琴弦像波浪一样摆动，大提琴和小提琴的后面是数不清的短笛、长笛、竖笛、双簧管和巴松管，还有喇叭、小号、长号、大号，再后面，他们几乎看不见的地方，是打击乐器，最后一排是气势凝重的低音提琴。

高高的指挥台上站着一位指挥家，高高的个子，瘦瘦的身材，黑色的眼睛深陷，薄薄的嘴唇嵌在尖尖的鼻子和尖尖的下巴中间。他手里没有指挥棒，似乎是用整个身体在指挥：一阵阵律动先是从脚尖开始，慢慢传到躯干，然后到达肩膀，最后停留在他优雅的指尖上。

“我听不见任何音乐。”米洛说。

“这就对了，”阿列克说，“你听不到音乐——你是来观看演奏会的。好了，注意。”

指挥家的胳膊动了起来，他似乎把空气当成黏土来捏，演奏的人们则小心地模仿着他的每一个动作。

“《日落曲》。这是他们每个傍晚都会演奏的乐章。”

“是吗？”米洛一头雾水。

“当然。”阿列克说，“他们每个早上、每个中午、每个晚上都要演奏，否则世上就没有任何色彩了。每一种乐器都会唤醒不同的颜色。当然，指挥家会根据季节和天气，选择不同的色调。现在看好了，因为太阳快要落山了，不一会儿大家就可以和色彩大师交流了。”

西方天空最后一抹色彩消失不见，与此同时，不同的乐器接二连三地停止了演奏，最后只剩下低音提琴在演奏夜幕降临的乐章，还有一组银铃铛唱亮了夜晚的星空。当黑暗笼罩整个森林的时候，指挥家的双手垂在身体两侧，一动不动了。

“落日好美！”米洛一边说，一边走向指挥台。

“本该如此。世界起源的时候，我们就开始练习了。”指挥家从人群中发现了米洛，让他坐在了指挥台上。“我是色彩大师，”他的手在空中挥舞，“我是色彩的指挥家，是所有色彩、所有色调的管理者。”

“您每天都要演奏吗？”在色彩大师一番自我介绍后，米洛问。

“是的，每时每刻、每日每夜都在演奏。”色彩大师说完，踮起脚尖，在指挥台上旋转起来，“我只在晚上休息，但晚

上还是有乐队演奏。”

“要是不演奏会发生什么事？”米洛问，他不太相信颜色会因为演奏而变化。

“你看！”色彩大师举起双手，乐队的演奏立即停止。所有的颜色都消失了，世界就像一本从来没有上过色的填色书，万物都以黑色的轮廓呈现。这得让一个有着一套数量庞大的颜料和一把房子一样大的刷子的粉刷匠忙活上好多年。色彩大师放下手臂，乐队又开始演奏，颜色回来了。

“要是没有颜色，这一切看起来是多么单调。”色彩大师边说边鞠躬，下巴几乎碰到地面了，“让我的小提琴拉出春天嫩嫩的青绿，听我的喇叭吹出蔚蓝的海洋，看我的双簧管奏出温暖的黄色阳光，这是多么让人开心的事啊！彩虹是最漂亮的，我们还能演奏出霓虹灯的色彩、计程车的条纹指示灯，还有雾天安静柔和的色彩。所有的颜色都是我们演奏出来的。”

色彩大师说话的时候，米洛坐着一动不动，眼睛睁得大大的，用心聆听着。阿列克、咔嗒，还有骗人虫，也早已听得入迷了。

“我真的需要睡一会儿了。”色彩大师打着哈欠说，“我们前几个晚上演奏了闪电、烟花，还有游行的色彩，我一直忙着指挥。今天晚上应该是一个寂静的夜晚了。”他把大大的手放在米洛肩膀上，对他说："好孩子，你不要睡觉，一直观看我的乐队演奏吧。明天早上五点二十三分的时候请叫醒我演奏日出。晚安，晚安，晚安！"

说完，他就从指挥台上跳下去，迈着大步消失在森林里。

"这是个好主意！"咔嗒说着，舒舒服服地躺在了草坪上，而骗人虫早就已经呼呼大睡了，阿列克也在半空中躺了下来。

只有米洛心里装满了问号，他蜷缩在明天要演奏的乐章上，焦急地等待日出。

11
噪音医生与吵吵

一个小时又一个小时过去了。五点二十二分（这是咔嗒的钟上显示的精确时间），米洛睁开了一只眼睛，接着睁开了另一只眼睛。万物都还是紫色、深蓝色或者黑色。还有不到一分钟，这漫漫长夜就要结束了。

米洛伸了伸懒腰，揉了揉眼睛，抓了抓脑袋，在清晨的雾气中冻得瑟瑟发抖。

“我得把色彩大师叫醒，太阳要升起了。”刚说完，米洛忽然想到，要是他来指挥乐队，世界会是什么颜色呢？

这个想法刚出现在脑海，米洛就决定这样做了。他想，反正这不是什么难事，这些演奏的人也都知道怎么做，况且这么早就把人叫醒也不太礼貌……不管怎样，这可是他

这辈子唯一一次指挥的机会。看到演奏的人都准备好了，米洛摆好姿势，决定指挥了。

这时，大家还沉浸在恬静的睡梦中。米洛踮起脚尖，轻轻举起胳膊，右手的食指稍微动了一动。现在是凌晨五点二十三分了。

人们仿佛看懂了他的手势，东面的一支短笛发出了一个音符，天边忽然投射出一束柠檬色的光线。米洛脸上露出了幸福的微笑。然后他小心翼翼地弯了一下手指，另外两支短笛和一支长笛也加入进来，空中多了三束跳跃的光线。米洛举起双手，在空中划了一个大圈，所有的人都演奏起来。米洛笑容满面。

大提琴给山丘披上了一层红色霞光，小提琴给树叶和草丛染上了淡绿色。整个交响乐团给森林染上了各种颜色，只有低音提琴一声不响。

看到所有的人都因为他的指挥而演奏起来，而且就像是他们应该做的和一直做的那样，米洛高兴坏了。

看到这个场景,色彩大师应该会大吃一惊吧。他一边想，一边做手势让大家停止演奏。“我现在要把他叫醒。”

可是人们非但没停下来，反而更加狂热地演奏，直到万物的颜色变得越来越鲜艳、越来越浓重、越来越耀眼。米洛不得不一手遮住眼睛，一手疯狂地乱指挥。颜色越来越亮、越来越刺眼，然后，发生了一件更古怪的事。

就在米洛胡乱指挥的时候，天空的颜色在慢慢地发生变化：原本是蓝色，不一会儿就变成了棕褐色，接着变成深红色。空中飘下浅绿色的雪花，树木和灌木丛的叶子变成了亮眼的橘色。

所有的花朵都变成了黑色，灰色的岩石也变成柔和的黄绿色。就连呼呼大睡的咔嗒也由棕褐色变成了漂亮的深蓝色。万物的颜色完全变了样。米洛越是挥动手臂想把一切变回原样，事情就越糟糕。

真是后悔死了。米洛正闷闷不乐，一只原本应该是黑色，现在却变成了浅蓝色的画眉鸟从他旁边飞过。“看来没法让这一切变回原样了。”

米洛试着像色彩大师那样指挥，但是一点作用都没有。人们还是继续演奏，而且动作越来越快。紫色的太阳匆匆升起又匆匆降落。天空是绚烂的黄色，草地是诱人的紫色。太阳飞快升起降落，万物不断变换色彩。日出日落七次了，一个星期就在几分钟之内过去。

米洛不敢求救，眼泪都快急出来了，他筋疲力尽，手臂垂落下来。忽然，交响乐团停止了演奏，所有的颜色也都消失了。夜晚再次降临。时间正好是早上五点二十七分。

“快醒醒！要日出了！”米洛如释重负地松了一口气，马上从指挥台上跳下来，叫醒色彩大师。

“睡一觉真舒服！”色彩大师说着，大步走上指挥台，“我感觉自己睡了一个星期。啊，今天早上我们起得有一点晚。我的午饭时间要缩短四分钟了。”

他轻拍一下双手，这次，黎明来临得如此美好！

“你干得很不错！”色彩大师拍了拍米洛的脑袋，“以后我会让你指挥整个乐队。”

咔嗒骄傲地摇了摇尾巴，可是米洛一句话也说不出来。没人知道一个星期这么快就过去了，除了那些恰好在早上五点二十三分醒来的人们。

“我们得出发了，”咔嗒说着，闹钟又响了起来，“还有好远的路要走。”

他们动身离开森林的时候，色彩大师点头致意，所有的野花立刻绽放，以此来纪念他们的拜访。

“真希望你们能多待一段时间，”阿列克难过地说，“光这森林里就有好多东西可以看呢。不过只要你睁开双眼，在任何地方都会看到美丽的风景。”

他们一直走着，谁也不说话，都在思考着什么。不一会儿，大家就来到了汽车前。阿列克掏出一架望远镜递给米洛。

“这个，给你在路上用。”他轻声说，“路上总有些风景值得一看，我们却忽略了。透过这个望远镜，你能看到所有的东西，不管是人行道裂缝中间的青苔，还是夜空中最遥远的那颗星星。最重要的是,你会清楚地看到事物的本质，而不是它们表面的样子。这是我送给你的礼物。”

米洛小心翼翼地把望远镜放进皮制的储物柜里，然后和阿列克握手告别。满脑子都是新思绪的米洛一脚踩上油门，车子驶出了森林。

他们原本在平坦的乡间小路上行驶，不久，路面忽然变得坑坑洼洼，车子左摇右晃，他们一会儿笑，一会儿皱眉头。等快要到达山顶时，面前忽然出现了一个山谷。车子在几乎呈九十度角的路上疾驶而下，仿佛要赶着和下面的河流打招呼。来到谷底，风越来越猛，他们眼前出现了一个黑点，越来越大。

“看起来像一辆大篷车！”米洛兴奋地喊道。

“是大篷车，嘉年华的大篷车。”咔嗒说。果然是一辆大篷车，就停在路边。车刷成了大红色，看起来废弃了很久。车身上写着“布赫谢·D.超阔”，这行字下面还有几个小一号的黑字：**噪音医生**。

“要是有人在里面，他也许能告诉我们要去的地方有多远。”米洛在大篷车旁边停下来。

他悄悄地走上了三级木台阶，轻轻敲了敲车门。车里传出一阵巨响，仿佛是一叠盘子从天花板掉落，砸到了坚硬的石头地面上，米洛被吓得滚了下来。这时，车门打开了，黑暗的车里传出一个粗哑的声音：“你听过一叠盘子从天花板坠落到石头地面上的声音吗？”

刚才被吓得从台阶上滚了下来的米洛赶紧坐直。咔嗒和骗人虫从汽车里出来，想看看到底发生了什么事。

“到底听没听过？”那个声音逼问道。它是如此刺耳，让人特想清清嗓子。

“没听过，直到刚才。”米洛边站起来边说。

“哈！我就知道你没有听过。”那个声音高兴地说，“你听见过蚂蚁穿着毛拖鞋在厚厚的羊毛地毯上走路的声音吗？”还没等到回答，这个声音又用奇怪而嘶哑的嗓音说：“好啦，不要在外面站着受冻了，快进来吧。幸好你们路过这里，你们看起来气色都不好。”

天花板上挂着一盏灯，投下昏黄的光。他们小心地先后走了进去：先是咔嗒，他全身戒备，以妨不测；然后是米洛，虽然害怕极了但还是满脸好奇；最后是骗人虫，他

走在最后面，随时准备逃生。

“好了，让我看看你们。”那个声音说，“真糟糕，真糟糕，问题相当严重。”

布满灰尘的大篷车里全是架子，架子上放满了奇怪的盒子和古老的药店里才有的管子，地板上全是零七碎八的小东西，房间尽头有一张木桌，木桌上堆满了书本、瓶子和小古董。

“你听过一条被蒙上眼睛的章鱼剥开包装浴缸的玻璃纸的声音吗？”话音未落，就响起一阵刺耳的吱吱啦啦的声音。

邀请他们进屋的人正坐在桌子旁边，忙着称重和混合各种材料。只见他穿着一件长长的白大褂，脖子上挂着一个听诊器，额头上挂着一面小圆镜子，全身最醒目的就是那一撇小胡子和那一对硕大无比的耳朵，每只耳朵都和他的脑袋一般大。

“您是医生吗？”米洛问，尽量显得不那么震惊。

“我是**布赫谢·D. 超闹，噪音医生**。”那个男人喊道。他说话的时候，传来一阵噼里啪啦的爆炸声和磨东西的碎裂声。

“您名字里的D是什么意思？”紧张的骗人虫结结巴巴地问，吓得一动都不敢动。

“**表示声音越大越好。**”医生扯着嗓子喊道，伴随他的是两声尖叫以及碰撞的声音，“过来，到我身边来，伸出你的舌头。”

“和我想的一样，”然后他打开一本满是灰尘的书，一页页地翻着，“你们严重缺少噪音。”

那个男人开始在大篷车里跳来跳去，抓了很多瓶子，最后将这些颜色各异、大小不一的瓶子堆在桌子的一头。所有的瓶子上都有标签：尖叫、大喊、砰砰、当当、轰隆、咕咚、嗖嗖、哗哗、噼啪、哗啦、嘘嘘、咚咚、吱吱、嘎嘎，还有各式各样的喧哗。他把瓶子里的药水都倒了一些在大

玻璃烧杯里，然后用一把木汤匙搅拌。他两眼一眨不眨地盯着，一直等着烧杯里的药水冒烟、沸腾，然后冒泡。

“一会儿就好了。”最后，医生搓了搓手说。

米洛从来没见过这么难看的药水，一点都不想尝它的滋味。“您到底是什么医生啊？”他满心疑惑地问。

“你可以认为我是一位专科医生，”医生说，“我专治噪音缺乏症，所有种类的噪音，不管是最吵闹的，还是最温和的，不管是稍微有点烦人的，还是十分刺耳的。比如说，你听过一辆轮子是四方形的蒸汽压路机在一条全是熟鸡蛋的街道上行驶的声音吗？”他问道。与此同时，空气中充斥着吵闹的压碎东西的声音。

“可是谁需要这么可怕的声音呢？”米洛捂着耳朵问。

“大家都喜欢啊。”医生吃惊地回答，“现在噪音非常流行。我这么忙，都来不及制造人们订购的噪音药丸、喧哗液、喊叫膏和吵闹补药呢。可见现在所有人都需要这些噪音。”

他又开始搅拌玻璃烧杯里面的药水。烟雾散去后，他继续说：“几年前生意可没这么好。那时，大家都想听欢乐的声音，除了战争或地震时大家会购买一些噪音，其他时间我根本没有生意。可是忽然之间，建起了许多大城市，就有了对喇叭声、汽笛声、铃声、震耳欲聋的喊叫声、刺耳的尖叫声，还有我们现在经常使用的许多不和谐的声音的需求。为了满足这些需求，我就拼命工作。只要你每天喝一点我的药水，就再也不想听到优美的声音了。来，喝点吧。”

“要是您不介意的话，我不想喝。”骗人虫边说边退到了大篷车里最远的角落。

“再说，”咔嗒咆哮道，他可是打定了主意，心里对这位医生一点好感都没有，“世上根本没有噪音缺乏症这种疾病。”

“当然没有了。”医生回答，给自己倒了一小杯药水，“这就是它为什么这么难以治愈的原因。我只治疗不存在的疾病，这样就算我不能治愈，对我也没有什么伤害，当然这只是我们这行的潜规则罢了。”见没人想喝他配制的药水，医生伸手拿下架子上的黑色琥珀瓶子，轻轻擦去上面的灰尘后，将它放到面前的桌子上。

“很好，要是你想过一辈子缺乏噪音的生活，我就把所有的药水给吵吵做午饭。”刚说完，只听“砰”的一声，他顺手打开了瓶子上的木塞。

刹那间寂静无声。米洛、咔嗒，还有骗人虫都大气也不敢出地盯着瓶子，看噪音医生接下来要做什么。然后，他们听见仿佛从几英里外传来一阵低沉的轰隆隆的声音。声音越来越大、越来越近，直到变成震耳欲聋的喊叫。原来这些噪音都是从这个小小的瓶子里传出来的。然后，瓶子里蹿出一阵蓝色的烟雾，烟雾一直冲向天花板，慢慢扩大，最后变成了一个有手有脚、长一对金黄色眼睛、撅着嘴巴的巨人。烟雾巨人一从瓶子里出来，就一把抓住药水，仰起那奇怪的脑袋，咕咚咕咚几口就把药水喝光了。

“**啊，很好喝，主人。**”他的低吼声让整个大篷车震动起来，“我还以为您不会放我出来呢。里面实在太挤了。”

“这是我的助手，可怕的吵吵。”噪音医生说，“请不要怕看到他的面孔，他没有脸。他是我一手养大的孤儿，并没有家庭教师或其他人来教……”

“没人管我最好了。”吵吵打断医生的话，大笑起来。（想想，一个巨大的蓝烟雾巨人笑起来是多么恐怖！）

“我第一次见到他的时候，”医生并不理会吵吵的爆笑，“他独自住在一个废弃的苏打水瓶子里，没有亲人也没有朋友……”

“没亲戚最好了。”吵吵再次爆笑，就好像几个汽笛同时鸣响，他还拍了拍膝盖。

“我就把他带到这里。”噪音医生怒气冲冲地继续说道，“尽管他没有形状和五官，我还是训练他……”

“没有鼻子最好啦。”吵吵再次爆发出雷鸣般的声音，变得歇斯底里。

“我把他训练成我的助手，帮我捏造和分发鼻子。”医生用手帕擦了擦额头。

“**一点意思都没有。**”吵吵啜泣着，一个人躲到角落里伤心去了。

“吵吵的名字是什么意思啊？”米洛问，他已经从初次见到吵吵的震惊中恢复过来。

“你的意思是你从来没见过吵吵？”噪音医生吃惊地说，“我还以为大家都见过他呢。你要是自己在屋子里玩，弄出了很大的噪音，人们会对你说什么啊？”

“别吵了！”米洛说。

“要是深夜的时候邻居们的音响开得震天响，你会对他们说什么啊？”

“别吵了！”咔嗒说。

“要是你居住的街道正在维修，钻头没日没夜地响，大家会说什么啊？”

“别闹了！”骗人虫自告奋勇地回答。

“别闹了！”吵吵恼怒地说，“我的祖父叫闹闹。一七一二年，他因为安静瘟疫去世。”

看到吵吵那么不开心，米洛觉得很抱歉，他把自己的手帕递给了吵吵。很快，手帕就沾满了蓝色的烟雾状的泪水。

“谢谢你！”吵吵抽泣着说，“你真好！不过我真不理解你为什么不喜欢噪音，为什么不喜欢呢？上周我听到了十分动听的爆炸声，感动得哭了两天。”

一想起这个，他又开始啜泣起来，那声音就像好几双手的指甲在抓黑板。哭着哭着，他把头埋进了医生的大腿里。

“他很多愁善感，不是吗？”米洛说，他试着安慰情绪多变的吵吵。

“这倒是真的。”噪音医生赞同道，“不过他说得没错，噪音是世上最宝贵的东西。”

“ABC 国王说词语是最宝贵的。”米洛说。

“胡说！”医生吼道，“婴儿要是想吃饭，会怎么做？”

“他会尖叫。”吵吵高兴地抬起头来回答。

“汽车没油的时候会怎么办？”

“它会熄火，声音嘶哑！”吵吵兴奋地跳了起来。

“河流干涸会发出什么声音？”

“它的声音会变得粗糙！”吵吵大喊，无法控制地爆笑起来。

“新的一天开始时会有什么声音？”

“天空破裂的声音！”吵吵欢快地躺在地上，脸上洋溢着幸福的喜悦。

“你看，事情就是这样简单。”医生对米洛说。但米洛还是一点都没搞明白。医生转头对满脸泪水却又面带微笑的吵吵说：“你是不是该走了？”

“去哪里？”米洛问，“我们可能去往同一个方向。”

“我可不这样认为，”吵吵边说边从桌子上抓起一把空袋子，“我要去搜寻噪音了。你瞧，每隔一天，我就要在王国内四处旅行，把那些最动听的恐怖声音以及最悦耳的嘈杂声收集起来，装进我的袋子里，带到这里给医生制作药水。”

“他干得很不错！”噪音医生激动地捶了一下桌子。

“所以哪里有噪音，哪里就能找到我。”吵吵感激地笑着说，“我得赶紧走了，因为我知道今天肯定会有刹车声、碰撞声以及喧闹声。”

“你要去哪儿？”医生一边配制另一瓶药水，一边问米洛。

“去数字国。”米洛说。

“真是不幸，”吵吵边拖着步子走向门口边说，“真是不幸，你们必定会路过寂静山谷。”

“这事很糟糕吗？”骗人虫忧心忡忡地问。

吵吵在门口站住，没有五官的脸上露出恐慌的表情，医生也浑身战栗，就像是坐在一辆脱了轨要冲下山谷的货车里。

“你可以问我，但是你很快就会明白了。”一脸恐惧的医生和他们说再见。吵吵也出门去了。

12

寂静山谷

再次在大路上颠簸前行的时候，米洛心想，这个山谷多么让人心旷神怡啊！骗人虫很投入地哼着古老的曲子，看起来十分享受，咔嗒也一脸惬意地吸着鼻子。

“我完全不明白噪音医生到底在担心什么。这条路上才不会发生什么不好的事呢。”这个想法刚刚蹿进米洛的脑袋，他们就穿过了一扇沉重的石头大门，之后，周围的一切便发生了变化。

一开始很难说清到底是什么发生了改变——周围的一切看起来与刚才没有什么不同，闻起来也一样——但是，听起来却与刚才完全不同了。

“这，发生了什么事情呀？”米洛问。他的确问了，但是徒劳无益，因为尽管他的嘴唇动了，但是他的嘴里却没有发出任何声音。

他忽然意识到出了什么事，因为咔嗒发出的滴答声完全消失，骗人虫也变得寂然无声，他应该还在唱歌才对啊。所有的声音都消失了，无论是风拂过树叶的沙沙声，还是汽车行驶时的吱嘎声，抑或是昆虫在田野里飞舞的嗡嗡声。周围听不到一丁点声音，感觉就像有人扭动了开关，不可思议地将世界上所有的声音都关掉了。

骗人虫忽然明白了眼前的处境，惊慌失措地跳了起来。咔嗒也焦急地查看着自己是不是还在计时。这无疑是一种

奇妙的感觉：无论你聊天闲谈、喋喋不休、冲来撞去的声音是大还是小，都无关紧要——整个世界的声音都消失了，你听不到别人的声音，别人也听不到你的声音。

“这简直太可怕了！”米洛边说边放慢了车速。

他们开始大喊大叫，但毫无作用。他们不知道该去哪里，直到把车开进了一大群人中间。这群人正沿着大路前行，有些人正扯着嗓门唱歌，但是声音完全听不见，有一些人扛着大幅的标语，上面写着：

打倒寂静！

没声音等于没饭吃！

听得到，呱呱叫！

人人皆有声！

还有一张巨大的横幅上简单明了地写着：

我们要听！

除了这些标语和队伍后面拖着的那架黄铜大炮，他们看起来与任何一个小山谷里的居民没有两样。

车停下来之后，有个人举起一块牌子，上面写着“**欢**

迎来到寂静山谷”，有些人在大声欢呼，虽然根本就听不见。

“**你们是来帮我们的吗？**”一个人往前一步问。

“**拜托，请帮帮我们！**”另外一个人也来帮腔。

米洛使尽浑身解数想要告诉他们他是谁、准备去哪里，但是无济于事。就在他解释的时候，又有四块牌子冒了出来：

仔细听看

我们

会告诉你

我们悲惨的遭遇

他们中的两个人举起一块大黑板，另外一个人以最快的速度在上面书写，向米洛说明为什么寂静山谷里寂然无声。

“离这里不远处有个地方，”他写道，“本来回声汇聚、风声栖息。那里有一座巨大的石头城堡，里面住着这片土地的统治者——声音守护人。很久以前，智慧王国的老国王把恶魔赶到遥远偏僻的山里之后，任命她为所有声音的管理人，她统治着过去、现在和未来所有的声音。

“许多年来，她都是一位睿智英明、受人爱戴的统治者。

每天清晨太阳一升起，她就会释放出一天的声音，让它们载着风穿越整个王国；每个夜晚月亮落下的时候，她便收集起所有陈旧的声音，在巨大的地下储藏室里为它们编目录、作记录。”

书写那人停下笔歇口气，擦了擦额头的汗水。这时，黑板上已经密密麻麻地排满了字，他只好把之前写的全部擦掉，从头开始。

“她心胸开阔、宽容待人，无论我们犯了什么错，她都能原谅。她为我们提供了所有可能用到的声音：干活时的歌声、炖汤时的冒泡声、斧头砍东西的声音、树木倒下的声音、铰链滚动的嘎吱声、猫头鹰鸣叫的咕咕声，还有鞋子踩在雪里的咯吱声、雨滴轻敲屋檐的美妙声音、吹进心田的悠扬笛声，以及路上的冰碎裂时的噼啪声，这一切都是她给的。”

那人再次停了下来，怀念的泪水涌出了眼眶，从脸颊一直流到嘴里，泪水里承载着对过去美好时光的回忆，既甜美又苦涩。

“所有的声音一旦使用，就必须小心翼翼地按字母排好顺序，整齐保存，以供将来参考。大家快乐和平地生活在一起，整个山谷宛若声音的乐园，四处充盈着悦耳动听的声音。可是，后来，一切都变了。

“更多的人来这里定居，刚开始的时候人还比较少，后来人们几乎是蜂拥而至。他们带来了新的生活方式和新的声音，这些声音有的非常动听，有的却很刺耳。但是人人都忙着手头的事，几乎没有时间去聆听周围的声音。结果正如你所见，没人聆听的声音永远消失了，再也无法找回来。

“人们的笑声越来越少，抱怨声则越来越多；人们花很少的时间唱歌，却花很多的时间大吼大叫。人们的声音越来越尖、越来越刺耳。后来，鸟儿鸣叫的声音和微风轻拂的声音都很难听到了，人们便不再听声音。”

那人擦掉黑板上的字，继续写。一旁的骗人虫努力抑制住哽咽。

“声音守护人变得忧心忡忡、郁郁寡欢。一天一天过去，可收集的声音越来越少，其中有很多声音几乎没有收集的价值。许多人认为这是由天气造成的，另外一些人则去抱怨月亮。不过大家一致认为，问题是从韵律公主和理性公主被驱逐出境时开始的。但是，不管原因是什么，人们都一筹莫展。

“之后有一天，噪音医生带着他装满药物的马车和蓝色烟雾巨人吵吵一起出现在了山谷里。他给山谷的居民做了一次彻底的检查，并保证治好所有人，解决一切问题。于是，声音守护人让他试一试。

“他给每个大人和小孩喂了几勺特别难吃的药。那药确实有效果——但却不是我们期望的那种效果，他什么都治好了，就是没有治好噪音。声音守护人无比愤怒，她将医生永远地驱逐出了山谷，并颁布了以下法令：**即日起，寂静山谷将再也没有声音！由于没人欣赏声音，所以我要将它废除。请诸位速速将所有尚未使用过的声音送归城堡！**

“从那之后就一直这样了。”写字那人满脸悲伤地写道，“我们什么也做不了，根本不知道怎么改变现状。如今，我们每天都会遇到新的难题。”

一个矮小的男人推搡着穿过人群，将手中抱着的一堆信件和便笺交给了米洛。米洛随手拿起一张，只见上面写道：

尊敬的声音守护人：

我们上周应该有一场雷阵雨，但是雷声现在还未到。请问我们还要等多长时间？

您真挚的朋友

他又拿起一封电报，上面说的是：

音乐会成功举行，期待乐声。

“现在你明白了吧？”那人继续写，“这就是为什么我们需要你帮我们攻击城堡、解放声音。”

“我能做什么呢？”米洛写道。

“你去拜访声音守护人，从她的城堡里带回一个声音，不管多小都可以，我们需要用它来装填大炮。哪怕是用最小的声音攻击，城堡也会崩塌，那么其他的声音就自由了。这确实不是易事，因为她很不好骗，但是请你试一试。”

米洛只稍微考虑了一下，便作出了决定，他果断坚决地说：“我去！”

没多久，米洛就一脸英勇地站在了城堡门前。他在一张纸条上整齐地写下了“咚、咚、咚”，然后从门底下塞了进去。很快，那扇巨大的门便打开了，他连忙走进去，门紧跟着关闭了。他听到一个温和的声音响起：“来这边，我在客厅里。”

“我能说话了吗？”米洛高兴地喊了出来。能再次听到自己的声音真是太好了。

“对，但是只能在这里说，”那人柔声回答，“好吧，来客厅吧。”

米洛缓慢地穿过门厅，进入了一间小屋子。声音守护人正坐在里面专注地听收音机。这台收音机非常庞大，它的开关、转盘、把手、仪表和扬声器布满整面墙壁，可是，它并没有播放任何节目。

“是不是很动听？”她轻叹道，“这是我最喜欢的节目——《沉默十五分钟》，之后是《半小时的安静》，再之后是《宁静的插播》。喂，你知道吗？安静的种类几乎和声音一样多，但是，很可惜，如今没有人注意它们。你曾聆听过破晓前那美妙绝伦的寂静吗？”她问，“或者是暴风雨刚刚平息后的安静和沉寂？当有人问你问题你却不知道怎么回答的时候，我想那种静默你是懂的；夜晚降临时乡村道路上的寂然无声也别有一番风味。一屋子人等着一个人讲话时的肃静是不是也很特别？而最美妙的是关上门独自一人待在屋子里所面对的那种寂静。每一种寂静都独一无二、与众不同，如果你仔细聆听的话，就会发现它们是那么悦耳动人。”

就在她说这些话的时候，那些将她从头到脚覆盖起来的几千个小铃铛发出了清脆的声响,仿佛是在回应她。这时，电话响了起来。

对一个喜欢寂静的人来说,她可真是说了不少,米洛想。

“我曾经可以听到任何地方、任何时候发出的声音，”声音守护人边说边指着那面收音机墙，“但是现在，我只能……”

电话还在响个不停。“很抱歉打断您，您不打算接电话吗？”米洛着急地问。

“不,不,当然不,在听节目的时候怎么可以接电话呢？”她回答，顺便将寂静的音量调大了一些。

“可能有什么重要的事也说不定。”米洛坚持说。

“根本没什么要紧事，”她安抚米洛,“这是我自己打的。现在的生活太寂寞了，四周寂静一片，根本没有声音供我分配和收集，所以我每天给自己拨七八次电话，就是要向自己问声好。”

“那么您好吗？”米洛礼貌地问。

“恐怕不是很好。我整个人都好像静止、凝固了。”她

发着牢骚，“啊，对了，你怎么会来这儿？啊——你是来参观我的地下室吧？它们一般只在周一下午的两点到四点对公众开放。可是，看你远道而来，我就破次例吧。请跟我来。”

她飞快地跳起来，走出客厅。身上的小铃铛伴随着她的动作发出一阵清脆悦耳的和声。

“你不觉得这些叮当声很好听吗？我爱死它们了，”她走得很快，“而且，它们非常有用，因为我经常会在这个巨大的城堡里迷路，这个时候，我听听这些声音，就知道自己在哪儿了。”

他们走进了一间很小的像笼子一样的电梯，四十五秒后，电梯停在了一间巨大的地下室里。地下室里堆满了档案、抽屉和储藏柜，它们向各个方向延伸，甚至堆到了天花板，简直分不清头尾。

“过去制作的每个声音都保存在这里。”声音守护人边说边牵着米洛的手跳进了一条走廊。“看这儿，”她打开一个抽屉，取出一个小小的棕色信封，“这是一七七七年那个冰冷的夜晚，乔治·华盛顿穿过特拉华州时吹的口哨声。”

米洛凑过去听了听，毋庸置疑，这确实是乔治·华盛顿的口哨声。他看着声音守护人关上抽屉，问：“可是您为什么要把它们全部收集起来呢？”

声音守护人一边带着米洛在走廊里闲逛，一边向他解释:“如果我不把它们收集起来的话，空气里就会挤满陈旧的声音，它们会四处冲撞、蹦来跳去，这下麻烦可就大了，因为你不知道自己听的是崭新的声音还是陈旧的声音。而且，我也喜欢收藏东西。声音的种类比世界上任何一种事物的种类都要多，它值得收藏。你看，我这里什么都有，不管是一百万年前的一只蚊子的嗡嗡声，还是你母亲今天早晨对你说的话，如果你两天后再来，我会告诉你她明天讲了什么。这其实非常简单，我演示给你看。你先说个词——什么词都行。”

“你好！”米洛说，他也想不起别的可说。

“现在你觉得它到了哪里呢？”她微笑着问。

“我不知道，”米洛耸了耸肩，“我总觉得……”

“许多人都和你一样无知。”她轻哼了一声，目光凝视着走廊，“来，让我看看。我们首先要找到存放今天的声音的储藏柜。啊，找到了。然后我们就按查找首字母的方法在‘W’名目下找——‘W’代表‘问候语’，然后我们再找米洛的首字母‘M’。啊，它已经在信封里了。所以，你看，整个体系都是自动化的。惭愧的是，我们几乎不再使用它了。”

“这简直太棒了！”米洛大吃一惊，“请问，我能拿一个小声音做纪念吗？”

“当然……”她满脸骄傲地顺口答道，但是立即又想到了什么，于是补充道，“不能！千万不要想着拿走这里的声音，这是违反规定的。”

米洛一下子变得垂头丧气。他根本不知道如何才能偷出一个声音，哪怕是最小的声音，因为他的行动完全处在声音守护人的监视之下，根本逮不到机会。

“接下来我们去看一下车间吧。”她带着米洛飞快地穿过另一扇门，进入了一间庞大的实验室。这间实验室已经废弃很久了，里面堆满了陈旧的设备和零件，因为没人打理，东西都生了锈。

“这里就是以前制造声音的地方。”她解释道，语气里带着对过往的留恋。

“声音需要制造吗？”米洛问，他几乎被声音守护人所说的一切震住了，这可是闻所未闻啊，“我以为它们是自然存在的。”

“没人知道我们为了制造这些声音付出了多少汗水。”她不无抱怨地说，“你知道吗？以前，这个车间里满满当当的都是人，人们为了制造声音从早忙到晚。”

“可你们是如何制造声音的呢？”米洛问。

“哦，这个非常容易。”她回答，“首先必须明确地决定一个声音看起来像什么，因为每个声音都有精确的形状和尺寸。然后在车间里制造出一部分声音来，将每个声音研

磨三次，直到它成为肉眼看不见的粉末，之后，每次要用它的时候，就往空气里洒一点粉末。”

“但是，我可从来没见过声音啊。”米洛仍然不明白。

“你是从来没在外面见过。”她边说边指着四周，“它们只在至寒的清晨才会被冰冻住，那时人们才可能看到。但是在这儿，我们随时随地都能看见它们。过来，看这个。”

她拿起一根木槌，在旁边的低音鼓上敲了六下，只见六个巨大的棉球静静地滚落到了地板上。它们就像羊毛一样蓬松，每个直径大约两英寸。

“你看，”她边说边把棉球放进研磨机里开始研磨，“听着啊。”她取了一点无形的粉末扔到了空气中，随后，空气里响起了**“咚、咚、咚”**的声音。

“你知道鼓掌的声音长什么样吗？”

米洛摇摇头。

“来，你也试一下！”她命令道。

于是米洛拍了拍手，只见一张洁净的白纸飘落到地板上。他又拍了三下手，地板上出现了三张相同的白纸。接着，他以最快的速度鼓掌，空中便飘满白纸，宛若瀑布。

“是不是很简单？其实所有的声音都是这样，只要动脑筋想一下，马上就能知道每个声音长什么样。比如说笑声。”说完，她欢快地笑了起来，千万个明亮耀眼、五彩斑斓的小泡泡便在空中飞舞起来，之后又悄无声息地破裂了。“讲话也是这样，”她继续说，“有些轻松欢快，有些尖锐率直，但是我觉得，大部分都是沉闷无趣的。”

“那么，音乐又是怎样的呢？”米洛兴致盎然地问。

“在这儿——我们在织布机上织出音乐来。交响乐呢，就是一块华丽的地毯，里面镶嵌着节奏和旋律；协奏曲就是挂毯；其他各样的布料就是小夜曲、华尔兹、前奏曲和狂想曲。我们还有你们经常唱的歌曲呢。”说着说着，她哭了起来，手里拿着一块颜色鲜亮的手帕。

停了一会儿，她又用无比悲伤的口气说：“我们还有一个部门，他们什么都不用干，只是把大海的声音放到贝壳里。以前，这里是一个多么欢快的地方啊！”

“那您现在为什么不为大家制造声音了呢？”米洛急切地喊了出来。他的声音是如此之大，以至于把声音守护人吓得往后退了一步。

“年轻人！别这么乱喊！要说我们还需要什么的话，那就是希望噪音越少越好。到这儿来，我把所有的事都讲给你听——马上把那个放下！”她最后一句话是对米洛的警告，因为她看见米洛正努力把一个大鼓声往口袋里塞。

很快，他们再次回到客厅。声音守护人坐到椅子上，小心翼翼地将收音机调到《一小时的特别宁静》节目。米洛又把刚才的问题提了一遍，不过这次，他压低了声音。

“你以为我愿意这样吗？把声音关起来，我一点都不开心，”她轻声说，“因为认真聆听，我们就能发现，有些时候，它们更胜于言语。”

“如果真是这样的话，”米洛问——其实他对她的话毫不怀疑，“您为什么不把它们释放出来呢？”

“我绝不！”她大叫，“人类只会用这些声音制造出噪音，这些噪音样子丑陋、不堪入耳，我把它们都留给了噪音医生和可怕得不得了的吵吵。”

“但是噪音里也有好声音呀，对不对？”米洛努力想让声音守护人改变主意。

“没错，可能是这样。”她回答，但仍然很顽固，“但是，如果他们不打算制造我喜欢的声音，那么就什么声音也别想制造。”

“可是——”米洛想再次开口劝说，又忽然停了下来。他其实打算说这样是不公平的，因为他认为他说了这么多，就算声音守护人再冥顽不化，也应该能亲切地接受；而他之所以停下来，是因为他灵机一动，发现了能将小声音带出城堡的方法。就在说出“可是”这个词而声音还没有飘到空中的一瞬间，他紧紧地闭上了嘴。这样一来，他刚才说的那个“可是”就被他关在了嘴里，只要他不松口，它

就不会跑掉。

“行了，我不留你了，你也不能一整天都待在这里。”她不耐烦地说，“把你的口袋翻出来让我检查一下，如果没有偷东西，你就可以走了。”

米洛听话地翻出口袋让她检查，待她满意之后，他向她点头道别——因为他可不能张嘴说“谢谢您”或是“再见”什么的，否则关在嘴里的声音就会溜走了——之后，他飞快地跑了。

13

倒霉的结论岛

米洛一路都把嘴闭得紧紧的，丝毫不敢放松。他脚下生风一般飞速赶回汽车旁。人们看到他回来，无不喜出望外。咔嗒欢快地冲到路上迎接他，于是只剩骗人虫独自接受来自周围人的欢呼和喝彩。

“声音呢？带来了吗？”一个人急匆匆地在黑板上写道。之后大家都焦急地等待着米洛的回答。

米洛屏住呼吸，拿起粉笔，简单地在黑板上写道：“它就在我的嘴里。”

好几个人兴奋地把帽子抛到了空中，一些人开始大喊大叫，要是有声音的话，欢呼声一定震耳欲聋。人们把那台沉重的大炮推向前，把炮口对准了城堡最厚实的城墙，

并满满当当地装上了火药。

米洛踮起脚尖，贴着大炮口张开了嘴。那小小的声音悄无声息地落了下去。一切都准备就绪了。不久，导火线被点燃了，噼里啪啦，火花飞溅。

“但愿不要有任何人受伤。”米洛想。他还来不及想更多，一团巨大的灰白色烟雾就从大炮里跳了出来，随之而来的是几乎不能辨的、极小声的——

可是。

几秒钟内，它在空中划出一条高高的、冗长的弧线，冲向城堡，但只是轻轻地击在了大门右边。好一会儿，周围都被不祥的寂静笼罩。整个世界变得更安静、更沉寂，仿佛连空气都停止了流动。

但紧接着，响起了爆炸、怒吼和雷鸣般的破碎声，然

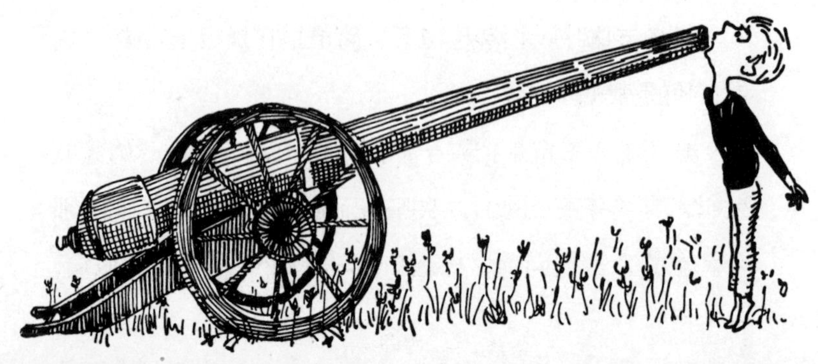

后是倒塌、坍裂、坠落的声音。城堡坍塌了，石头不断滚落，地下室也猛地裂开了口，声音们散溢到了空中。

横亘历史的所有声音，无论是嘴里发出的，还是制造出来的，都一股脑儿冲了出来。一时间周围喧腾一片，仿佛世界上所有人在同一时间发出了笑声、口哨声、喊叫声、哭声、唱歌声、窃窃私语声、哼哼声、尖叫声、咳嗽声和喷嚏声。空气里还飘动着古老的演讲和背诵、战争里的枪声、婴儿的哭泣、汽车的喇叭声、瀑布的坠落声、电扇的转动声，以及骏马的奔驰声。无数的声音乱作一团。

这些震耳欲聋、分外混乱的声音持续了好长时间。接着，就如来时一样，这些陈旧的声音很快消失在了山的另一边。它们去寻求崭新的自由了，周围再次恢复了正常。

人们开始忙着用久违的声音谈天。当烟雾和灰尘散去之后，只有米洛、咔嗒和骗人虫注意到了声音守护人，她正坐在一堆碎石子上，看起来郁郁寡欢、满脸哀伤。

他们走过去安慰她。

“非常抱歉。”米洛不无同情地说。

“但是我们不得不这么做……”咔嗒加了一句，然后绕着废墟嗅来嗅去。

“这场混乱真是太可怕了！”骗人虫看着四周说。他的本事就是在不恰当的时候说不该说的话。

声音守护人的悲伤丝毫没有缓解，阴郁仍然笼罩着她的脸庞。看来她真的无比难过。

“要再次把那些声音收集起来不知道要花多少年，”她啜泣着说，“要想把它们重新整理好，还要花上更长的时间。不过，这都是我的错。因为，不可能光靠安静来改善声音，关键还是要在合适的时间使用合适的声音。”

她说话的时候，远处传来了熟悉的“扑通、扑通、扑通”的声音，这无疑是吵吵那沉重的脚步声，他应该正在翻越山岭。等吵吵走近的时候，人们看见他拖着一个大到不可思议的麻袋。

“有人用这些声音吗？”吵吵呼呼地喘着粗气，抹了一把额头上的汗水，“它们一下子全涌进了山里，可是对我来说，它们都不够吓人，所以我用不着。”

声音守护人往袋子里瞅了瞅，发现所有逃出地下室的声音都在里面。

“你真是太好了，把它们都带回来了！”她高兴地叫了起来，“等我的城堡修好，你和医生一定要来做客，到时我们一起听一场无与伦比的音乐会。”

这个邀请对于吵吵来说无疑是洪水猛兽，他马上找借口推托，然后一溜烟地跑走了。

“希望我没有冒犯他。”声音守护人有点失落地说。

“没关系，他只是比较喜欢那些让人感觉不愉快的声音罢了。”咔嗒自告奋勇地解除误会。

“对啊，正是这样。”她轻叹道，“我总是不记得这件事，这个世界上是有人喜欢难听的声音的。当然我知道，它们的存在是必要的，因为只有当你知道一个声音不令人讨厌，才会发现它是多么让人愉快。”稍作停歇，她又说：“只有等到韵律和理性回来，这里才会有所改善吧。”

“所以我们才打算去救她们！”米洛一脸自豪地说。

“这次旅程将会多么漫长、多么艰苦啊！你们得补充点营养才行！”她一边大声说，一边递给米洛一个包扎整齐、用绳子系着的棕色小包裹。“记着，它们可不是用来吃的，而是用来听的。因为你们对声音的需求不会比对食物的需求少,总会有想听声音的时候。这里面有夜晚街道的嘈杂声、火车的鸣笛声、枯叶燃烧的噼啪声、百货商场里的喧嚷声、吃面包的咀嚼声、弹簧床的咯吱声，当然，还有各种各样的笑声。每样都有一点。我想,等你们到了遥远偏僻的地方,会很高兴听见这些声音的。”

“一定会的！”米洛感激地回答。

“沿着这条路一直走到海边,然后向左拐,”她告诉他们,“很快便能抵达数字国了。”

还没等她把话说完，他们就道声“再见”，匆匆上路了，很快便把寂静山谷抛在了身后。

海岸旁非常宁静，大路平坦，海上风平浪静，只有浪花嬉闹着拍打沙滩。远方有一座棕榈树和鲜花覆盖的美丽小岛，它似乎正从潋滟水光尽头向他们发出热情的邀请。

“这会儿肯定不会再有什么事了。”骗人虫欢快地嚷着，跳出了汽车，一蹦就到了小岛上。

“我们有的是时间。”咔嗒说，压根儿没有注意到骗人虫已经不见踪影——他自己也猛地跳起，消失了。

“没错，今天真是棒极了！”米洛正全神贯注地开着车，

根本没注意到他的伙伴早已离开。很快，他也抵达了小岛。

米洛落在咔嗒和早已吓坏了的骗人虫身边时，竟然发现这个小岛完全变了样子：这里根本没有繁茂的棕榈树和盛开的鲜花，有的只是石头和树桩，而且那些树都枯死很久了，歪歪扭扭地挤在一起。这根本就不是他们在路上看到的那个小岛。

“很抱歉，打扰一下。”米洛逮着一位路人问，“请问这里是哪儿呀？”

“很抱歉，”那人回答说，“你能告诉我我是谁吗？”

这个人穿着一件毛糙糙的花呢夹克、一条扎口灯笼裤，还套着一双长长的羊毛袜，头上戴的帽子竟然前后都有帽舌，一脸茫然困惑的样子。

“你不知道自己是谁吗？”米洛不耐烦了。

“那你也应该知道你在哪儿。”那个人用一样不耐烦的口气回答。

“啊，这可麻烦了。”米洛悄声对咔嗒说，“咱们怎么帮他呢？”

他们商量了一会儿，最后骗人虫抬起头说：“你能大概描述一下你自己吗？”

“当然可以。”那个人欢快地回答，“我想长多高就能长多高！”说完，他的身体忽然拔高，一直到地上的人只能看见他的鞋子和袜子为止。“我想变多矮就能变多矮！”说完，他的身体忽然萎缩，变成了鹅卵石大小。“我可以无比慷慨！”他边说边递给他们每人一个大红苹果。“也可以极度吝啬！”他咆哮着，把送给他们的苹果又抢了回去。

“我可以变得强壮有力！”他吼叫了一声，将一块巨大的石头举过头顶。“也可以变得弱不禁风！”他开始呼呼地喘气，整个人也摇摇晃晃的，仿佛支撑不了那顶帽子的重量。“我要是聪明起来一切易如反掌！”他开始使用十二种不同的语言说话。“我要是愚笨起来连神仙也愁！”说完，他开始把两只脚往一只鞋里套。

“我可以像舞蹈家一样灵活！”他哼哼着，踮起一只脚站立。“也会像傻子一样笨拙！”他喊叫着，把大拇指往眼睛里插。“我能快如疾风！”说完，他眨眼间就绕着整个岛跑了两圈。“也会慢如蜗牛！”他边抱怨边向一只蜗牛挥手道再见。

“听了这些，你们对我是谁这个问题有什么头绪吗？”

米洛和伙伴们再次凑到一起叽里呱啦地商量了一会儿，终于得出了结论。

“这再简单不过了。”骗人虫一边说一边晃着他的手杖。

“如果你所说的话都是真的……”咔嗒紧接着说。

“那么毫无疑问，”米洛欢快地宣布，“你就是无所不能

的万能人。”

“对啊，没错，正是如此。”那个人大喊大叫起来，“我怎么就没有想到呢？我太高兴了。”但接着，他又坐下，把脸埋到手心里，叹着气说：“但我也感到无尽的悲伤。”

“好了，现在你能告诉我们这是哪儿了吧？”咔嗒一边问，一边打量着这个荒凉的小岛。

“唉呀，”万能人说，“你们是到了结论岛。别客气，你们随意些，就当是自己家一样，爱在这儿待多久就待多久。”

“可是，我们是怎么来到这儿的？”米洛问，怎么也没想明白。

“当然是跳过来的，”万能人解释说，“大部分人都是这样来到这座岛上的。原因非常简单，每当你决定了要做的事情，但是又没有充足的理由去做的时候，就会跳到结论岛上，而不管你是否乐意。这不是你说了算。这是趟非常容易的旅行，我都来了好几百遍了。”

“但是，这儿也太荒凉破败了吧。”米洛说。

“没错，这儿确实让人觉得不舒服。”万能人点头，“从远处看的话要好多了。”

就在他说话的工夫，至少有八九个人从各个方向来到了岛上。

“好吧，现在我准备跳回去。”骗人虫宣布。他弯弯身，

做了做准备活动，然后用尽全身力气往外跳，可是，他只跳了两米远，就扑通摔在了地上。

“这根本没用，”万能人责备道，把他拉了起来，“永远也不可能跳出结论岛。回去不像来的时候那么容易。所以这儿总是人满为患。”

这句话的确没错，他们的视线所及之处都是人，这些人聚集在荒凉海岸边的石头上，面色忧郁地眺望着大海。

“难道这里就没条船吗？”米洛问，他一心挂念着行程，因此在听说了结论岛的事情后，不免有点焦急。

“没有，”万能人摇摇头回答说，“离开这里的唯一办法就是游泳，不过得游很长时间，非常辛苦。”

“我可不想弄得湿淋淋的。”骗人虫很不高兴地抱怨道，一想到那种情形，他就禁不住发抖。

“那些人也是这样想的，”万能人很难过地说，“所以他们就只能困在这儿了。但是，我觉得不必太担心，因为即便你在智慧之海里游上一整天，出来的时候身上也还是干的。好多人都是这样。很抱歉，我不能陪你们了，我得去欢迎新访客。你们知道的，我非常好客。”

尽管骗人虫全力抗议，米洛和咔嗒还是决定游泳离开。他们完全不顾骗人虫的不满，拖曳着他向海边走去。

万能人忙着去解答更多问题了，他们最后听到他说的一句话是：“啊，抱歉，你能告诉我我是谁吗？”

他们在海里一直游、一直游、一直游，不知游了多久。咔嗒坚持不懈地给米洛鼓劲，所以米洛才能这么长时间地与冰冷的海水抗争。等他们终于到达岸边的时候，已经筋疲力尽。除了骗人虫，他们浑身上下都湿透了。

“其实也不算坏嘛。”骗人虫一边说着，一边正正自己的领带，掸掸衣服，“我还会再到那儿去的。”

“我觉得你也会去。”米洛上气不接下气地说，“但是从现在开始，我决定，没有充足理由的话，我决不作任何决定。去一趟结论岛真是够呛，这个时间耗费不起啊。”

汽车还停在他们离开的地方，不一会儿，他们就再次上路了。他们离开了海岸，开始向山脉驶去。走了不久，温暖的太阳和柔和的微风便让他们的身体恢复了干爽。

“希望我们能尽快到达数字国，”米洛忽然想到他们还没有吃早餐，“不知道还有多远。”

14

十二面体人

就在这时，前方的路分成了三条，一旁的大型路标指着三个方向。仿佛是回应米洛的问题，路标上清晰地写着：

数字国

5	英里
1,600	杆[①]
8,800	码
26,400	英尺
316,800	英寸
633,600	半英寸

①长度单位，1 杆等于 5.5 码。

“我们走英里吧，”骗人虫建议，“这个最短了。”

“我们走半英寸吧，”米洛也提出了自己的建议，“这个比较快。”

“但是我们究竟应该走哪一条路呢？”咔嗒问，“这总有区别吧？”

正当他们争论不休的时候，一个非常不可思议的小东西从路标后面迈了出来，他一面向他们走来，一面说：“是的，当然，它们当然有区别，这是毫无疑问的，它们是不同的。”

这个人的外貌，怎么说呢，就是各种各样的线条和角

连在一起构成的一个坚固的多面体——有点像立方体的角全部切掉之后的样子。他身上每条边上都标着一个小写字母，每个角上都标着一个大写字母，头上戴着一顶潇洒的贝雷帽，看上去目光专注、表情凛然。看看他的画像，你就明白我的意思啦。

走到车边的时候，他脱下帽子，用清晰洪亮的声音说道：

“我有许多角。

面也有不少。

我是十二面体人。

来者是何人？”

“十二面体人是什么？”米洛问。这个名字真是太奇怪了，米洛都觉得有点拗口。

“你自己看。”说着，那人慢慢地转了一圈，“十二面体人就是一个有十二张脸的几何体。”

就在他说话的同时，另外十一张脸出现了，原来每个平面上都有一张脸，每张脸上都带着不同的表情。

“一般来说，我每次只使用一张脸，”说着，他换了一张微笑的脸，“这样就能避免过度使用，可以减少磨损。对了，你叫什么名字？”

“米洛。”米洛回答。

“这真是个奇怪的名字。”十二面体人换上了一张蹙眉不悦的脸，“而且，你只有一张脸。”

“这不好吗？”米洛伸手去摸自己的脸，看看它是否还在。

“你要是总用一张脸应付所有的事，那么它很快就磨损殆尽啦。”十二面体人回答，“你看看我，我有一张微笑的脸、一张大笑的脸、一张哭泣的脸、一张皱眉的脸、一张思考的脸和一张撅嘴的脸，除此之外，我还有六张脸呢。是不是所有只有一张脸的人都叫米洛？”

“不，不，当然不。”米洛回答说，“有的叫亨利，有的叫乔治，有的叫罗伯特，有的叫约翰，名字多了去了。”

“多么混乱、多么可怕啊！”那人叫喊着，“在这里，是什么就叫什么，一点都不混乱。三角形就叫三角形，圆形就叫圆形，只要是相同的数字就叫一样的名字。想象一下，如果我们把数字‘2’叫做亨利、乔治、罗伯特、约翰或是别的什么名字，那会发生什么事呢？那样的话，你就得说，罗伯特加上约翰等于4。如果‘4’又叫阿尔伯特的话，那可就没完没了，混乱死了。”

“我从来没这么想过。”米洛老老实实地说。

“那我建议你从现在开始就这么想。”十二面体人换了一张训诫的脸劝告他们，“这里可是数字国，一切必须十分精确。”

“那么，或许你能帮我们决定应该走哪条路。”米洛说。

“这当然没问题。”十二面体人高兴地回答，“我先问你们一个问题：三个人乘着一辆时速为三十英里的小汽车在上午十一点三十五分出发，十分钟走完五英里的路程；另外三个人乘着一辆时速为二十英里的小摩托车也在同样的时间出发，不过他们走另一条路，十五分钟走完五英里的路程，走一样的路程，他们比第一组人慢了五分钟；一条狗、一只甲虫和一个男孩行驶在第三条路上，他们从十月中旬出发，要用相同的时间走完等长的路程，或是用等长的时间走完相同的路程。那你们觉得，哪组人最先到达呢？哪条路最好走呢？”

“十七！”骗人虫一边在纸上匆匆计算，一边说出了他的答案。

“嗯，我不太确定，可是……”米洛脑子转了半天也毫无结果，只好吞吞吐吐地糊弄着。

“你这样可不行，应该算得更清楚些。”十二面体人责备米洛，“否则你永远不知道自己走了多远、是否已经到过那儿。”

“我不大会解题。”米洛承认。

“真可惜，真是太遗憾了！”十二面体人叹了口气，“计算是这么有用。那么，这个你知道吗？如果一只身长两英尺、尾长一英尺半的海狸能在两天之内建起一座十二英尺高、六英尺宽的大坝，那么你要建造更大的大坝的话，就需要一只身长六十八英尺、尾长五十一英尺的海狸。”

“从哪儿找那么大的海狸呀？”骗人虫嘟囔道，铅笔头“啪”的一声折断了。

“我也不知道，”十二面体人回答，“但是如果你们能找到它，肯定知道怎么使用它。”

“真是太荒唐了！”米洛回嘴道，他的脑袋现在灌满了数字和问题，都快疯了。

“也许吧，”十二面体人承认，“但是答案却绝对精确，只要答案正确，谁还在乎问题是不是有错啊！如果你想要意义的话，就得自己去找。”

“这三组人会在相同的时间到达相同的地点。”咔嗒突然插嘴，他一直在耐心地计算第一道题。

“完全正确！”十二面体人喊道，“我准备亲自带你们去。你现在知道了吧，问题就是这么重要。如果你做错了这道题，那么就可能走错路。”

“我完全不知道自己错在哪儿。”骗人虫说。他还在费劲地检查他的计算。

“如果三条路线都能在相同的时间到达相同的地点，那么它们不就都是正确的路线吗？”米洛问。

“当然不是！”十二面体人大叫了起来，他换上最生气的表情，怒视着米洛，“它们都是错的。因为你得选一条路，那么其他路就是错的。”

他走向路标，快速地将它旋转了三次。原来的三条路消失了，出现了一条崭新的路，这条路正向路标所指的方向延伸。

“去数字国的每条路都是五英里长吗？”米洛问。

“恐怕是这样，也只能这样。”十二面体人一边回答，一边跳到了汽车后边，“我们只有这一块路标。”

这条路上坑坑洼洼的，到处都是石子，汽车每次碾到石子都会将十二面体人甩到空中。他掉落的时候会有一张脸朝下，或是生气、或是微笑、或是大笑、或是不悦，就看朝下的那张脸是什么表情了。

“我们很快就到啦。”在又一次飞到空中之后，十二面体人高兴地宣布，“欢迎来到数字王国。”

“可是，它看起来不怎么样啊。”骗人虫说。地势越来越高，可是四周连一棵树、一根草都看不到，能见到的就只有石头。

“这就是制造数字的地方吗？”米洛问着，汽车又颠簸了一下，这次，十二面体人直接沿着山坡滚了下去。他头脚颠倒，一会儿嘟囔，一会儿做鬼脸。最后，他停在一个看似是洞穴入口的地方，表情有一些哀伤。

“它们不是制造出来的。”他说，就像什么事情也没有发生过一样，“你得去把它们挖出来。难道你对数字一无所知吗？”

“嗯，我不认为它们有多重要。”米洛急促地回答。他不好意思承认自己对数字一无所知。

“**数字不重要**？”十二面体人吼道，脸因愤怒而涨得通红，“没有数字‘2’，你们能有《两只老虎》吗？没有数字‘3’，你们能有《三只瞎老鼠》吗？没有数字‘4’，地球上能有四个方向吗？没有数字‘7’，你们能去七大洋航行吗？”

“我的意思是……”米洛想为自己辩解，但是十二面体人怒气冲天，根本就听不进米洛的话，一个劲地大喊大叫。

“如果你有伟大的梦想，那么如何才能知道它到底有多大？你知道大大小小的事情都会有九死一生吗？你周游世界，是不是却不知道它有多广阔？如果你不知道‘最后的时间’有多长，”他一边嚷嚷一边把胳膊举过头顶摇晃，“你又能做什么呢？看吧，懂了吧？数字是这个世界上最美丽、最珍贵的东西。跟我来，我带你们看看。”他转身，昂首阔步地走进洞穴。

“来呀，快来。”他的喊声从漆黑的洞穴里传了出来，“我

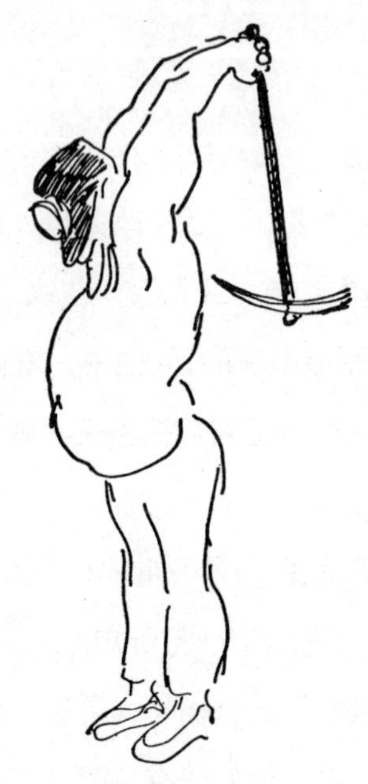

可不能老是等你们。”他们赶紧都跟着他走进了山洞。

过了好几分钟，大家才适应了洞里昏暗的光线。在眼前漆黑一片时，他们听到周围响起了奇怪的抓搔、刮擦、轻叩以及扭打的声音。

“戴上这个！”十二面体人命令道，接着递给每人一个顶上带灯的头盔。

“我们这是要去哪儿啊？”米洛悄声问。这种地方给人的感觉就是应该放低声音说话。

“这儿就是我们要去的地方。”十二面体人做了一个囊括四方的手势，“这里是数字矿。”

米洛眯着眼睛在黑暗里看了一会儿才发现，他们已经走进了一个巨大的洞穴。这个洞穴只靠钟乳石反射的微弱、阴森的光来照明。那些巨大的钟乳石就悬在头顶上，感觉十分不祥。无数的通路和走廊使墙壁看起来就像马蜂窝，它们弯弯曲曲地从地面延伸到屋顶，起伏不平地镶在墙壁上。米洛发现这里到处都是和他个子差不多的男人。他们正在挖呀、剁呀、铲呀，把装满石头的推车从一个地方或拉或拖到另外一个地方。

“来这边，”十二面体人说，“小心脚下。”

他的声音一遍遍地在洞穴里回荡，与四周的嗡嗡声混杂在了一起。咔嗒小步跑到米洛身边，骗人虫则迈着优雅的步子跟在后边。

“这是谁的矿啊？”米洛一边问，一边绕过两辆装得满满的手推车。

“我头上的四百八十二万七千六百五十九根头发可以作证，这当然是我的矿！”洞穴里猛地传来一阵咆哮，紧接着，一个人影朝他们走了过来。他不是别人，正是数字国的 123 国王。

他身上穿着一件飘逸的长袍，上面密密麻麻地写着复杂难解的数学公式；头上戴着一顶尖尖的帽子，让他看起来非常睿智；左手拿着一根长长的手杖，那手杖是铅笔形状，另一头还有橡皮。

“这个矿真是太棒了！”骗人虫赶紧改口说，他总是会

被很高的声音吓倒。

“这是本国最大的数字矿！”123 国王十分自豪。

“这里有什么珍贵的石头吗？”米洛兴致勃勃地问。

“珍贵的石头！”他再次咆哮起来，声音比刚才还大。接着，他弯下身子朝米洛低语道：“我长袍上的八百二十四万七千三百一十二条线可以作证，这里有很多珍贵的石头。你来看。”

国王将手伸进一辆手推车里，摸出了一个小小的东西，用力在长袍上擦了擦。当他把那个东西拿到亮处的时候，他们看到它发出了耀眼的光芒。

“这不就是数字‘5’吗？”米洛不满地说，那的确只是一个数字“5”。

“你说得很对，”国王赞同地说，“但是，它和你在其他地方找到的任何一件宝石一样珍贵。让我们来看看别的。”

国王捞起一大把石头，把它们倒进了米洛的怀里。这些石头包括从“1”到“9”的所有数字，甚至还有各式各样的“0”。

“我们把它们挖出来，然后磨光。”十二面体人一边主动解释，一边指着一群正围着抛光轮忙个不停的工人说，“之后，我们就把它们发往全世界。太了不起了，对不对？”

“这的确非同一般哪！”咔嗒对数字怀有特殊的喜爱

之情。

“原来数字就是这么来的啊。”米洛满怀敬畏地看着那堆闪闪发亮的数字说。他尽可能小心地把那些数字还给十二面体人，但还是有一个数字掉在了地上，摔成了两半。骗人虫害怕地缩到了一边，米洛也吓坏了。

“哦，别担心。”123 国王弯腰把碎块捡了起来，“我们可以把这些碎掉的数字做成分数。”

“你们难道没有钻石、翡翠或是红宝石之类的吗？”骗人虫很不耐烦地问，他对迄今为止见到的一切十分失望。

“当然有！”国王一边回答，一边将他们带到了洞穴的后方，“来这边。”

那里堆积着各种各样的宝石，几乎贴到了洞顶。里面不仅有钻石、翡翠和红宝石，还有蓝宝石、紫水晶、黄玉、月光石和石榴石。他们三个都是第一次见到这么多珍宝。

“这可是一堆大麻烦，”123 国王叹气，“没有人知道可以拿来做什么。所以一挖出来，就把它们扔掉了。”他从口袋里取出一只银哨子吹了起来，“现在，我们去吃午饭吧。”

骗人虫生平第一次惊讶得目瞪口呆。

15
通往无限之路

这时，八个身强力壮的矿工扛着一口巨大的锅冲进了洞穴，里面满是“咕嘟咕嘟”的冒泡声和“嗞嗞”炸东西的声音。大团大团让人垂涎欲滴的香气从锅里飘出来，缓缓地浮到了洞顶。空气里顿时弥漫着一股香甜又辛辣的味道。香味不紧不慢地飘过，在每个人的鼻孔稍作停留，撩逗着所有人的味觉。一些人开始流口水，还有几个人的肚子咕咕地叫了起来。米洛、咔嗒和骗人虫一脸羡慕地看着工人们放下工具，围在那口大锅前大快朵颐。

“你们也吃点东西吧。”123 国王递给他们每个人一碗热气腾腾的饭。

“嗯，谢谢您！”米洛开心地说，他早就饿得够呛了。

“谢谢您！”咔嗒也感激地说。

骗人虫没有道谢，因为他一拿到饭就埋头吃了起来。不一会儿，他们就把碗里的饭吃了个精光。

“再来一碗吧。”国王一边说，一边又往他们的碗里添了一些。他们吃得很快，丝毫不逊色于吃第一碗时的速度。

“别停，继续。”国王又给他们添了一碗，

一碗。

又一碗。

又一碗。

又一碗……

“好奇怪啊！”米洛吃完第七碗饭的时候想，“我每吃完一碗，都觉得比以前更饿。”

“再来一些吧。”国王继续给他们添饭，现在他们吃饭的速度差不多和添饭的速度一样快。

不一会儿的工夫，米洛便吃了九碗饭，咔嗒则吃了十一碗，骗人虫更是头也没抬地吃了二十三碗。这时，国王又吹了一声哨子，很快就有人来搬走了大锅，矿工们也各就各位，继续工作。

“啊哈，啊哈，啊哈……”骗人虫急促地喘着气，他忽然意识到自己饥饿的感觉差不多是刚开始的二十三倍，“我觉得我就要饿死了。”

“我也是啊。”米洛抱怨道，他从来没觉得这么饿过，“奇怪的是，我已经吃了那么多东西。”

“很好吃，对不对？”十二面体人兴高采烈地插嘴，拿手擦着嘴边残留的肉汁，“这可是本国的特色菜——减法炖。”

“我说呢，怎么越吃越饿，比刚开始的时候饿多了。”咔嗒虚弱地靠在一块大石头上说。

“当然了，”国王说，“你以为呢？吃得越多就越饿，这里的人都知道。”

“他们知道？”米洛很是怀疑地问，“那他们什么时候能吃够啊？”

“够？”国王不耐烦地说，“在数字国，我们饱了就吃饭，饿了就不吃。这样的话，即使什么都没吃，也会觉得很饱。这是一种非常经济的体系。你们吃了那么多还饿，肯定是因为之前已经很饱了。”

“这非常有逻辑性。”十二面体人解释说，“你想要的越多，得到的就越少；你得到的越少，拥有的就越多。这是很简单的算术。假如你有一些东西，又添了一些东西，那结果会怎么样？”

“东西更多了。”米洛很快回答。

“非常正确。”十二面体人点点头，“那么，假如你有一些东西，没有添加任何东西，结果又怎样呢？”

“还是有那么多东西。”米洛回答，却不像刚才那么有信心了。

“很好。”十二面体人喊道，“那么，再假如，你有一些东西，又添加了一些比没有还少的东西，结果怎样呢？”

“那就饿死啦！”骗人虫极度痛苦地喊道，他忽然明白过来，为什么吃了二十三碗饭后竟然更加饿了。

“倒也没那么糟，”十二面体人换上了同情的那张脸，“没几个小时，你们就会恢复过来，到时又是饱饱的啦——正好赶上吃晚饭。”

“我的天啊。”米洛无比悲伤地说，声音有气无力，“我只在饿的时候才吃饭。”

“这是多么奇怪的想法啊。”国王举起手中铅笔手杖，将有橡皮的一端对着洞顶擦了几下，“接下来你会说你们累了才睡觉是吧？”他刚说完这句话，洞穴、矿工和十二面体人就忽然消失了，只剩下他们四个人站在国王的工作室里。

“我发现，”国王漫不经心地向几位昏头涨脑的拜访者解释道，“要想从一个地方到另一个地方，最好的办法就是擦掉一切，从头开始。啊，请随意。”

“您一直都是用这种方式旅行的吗？”米洛一边问，一边满是好奇地打量着这间奇怪的圆屋子。它有十六扇拱形窗户，就像指南针的表盘。圆屋子的四周标着从“0”到“360”

的所有整数，用来表示角度。地板、墙壁、餐桌、椅子、书桌、橱柜和天花板上都挂满了标签，上面写着它们的高度、宽度、长度以及彼此之间的距离。屋子一端的画架上贴着一张巨大的便条，钩子和绳索上挂着比例尺、直尺、卷尺、砝码、带尺以及其他可以以各种方式测量任何东西的量具。

“倒也不是。”国王回答。这次，他举起铅笔手杖，用笔头的那一端在空中划了一条细细的直线，接着，他便优雅地跨过这条直线，从屋子的一端走到了另一端。“很多时候，我只走两点之间的最短距离。当然，如果需要马上到好几个地方，”他一边说一边在便条上仔细地写下了“7 × 1=7”，“我就用乘法。”

屋子里一下子出现了七位国王，他们肩并肩站在一起，看起来一模一样。

“您是怎么做到的？”米洛吃惊地吸了一口气。

“如果你有一根魔杖的话，”那七个一模一样的人异口同声地说，“这根本就是小事一桩。”接下来，其中六个人在自己身上划了一条删除线，很快他们便消失不见了。

“但这也就是根长铅笔啊！”骗人虫有点不相信地说，敲了敲自己那根真正的手杖。

“没错，”国王没有否认，“但是一旦掌握了诀窍，就无所不能啦。”

“您能让东西消失不见吗？”米洛问。

“那是自然。”国王大步走到画架前，“过来，走近一些才能看得更清楚。”

他给他们看了他的袖子、帽子还有后背，表示身上什么都没有藏。之后，他快速地写道：

$4+9-2\times16+1\div3\times6-67+8\times2-3+26-1\div34+3\div7+2-5=$

写完之后，他抬起头来满是期待地看着他们。

“十七！”骗人虫大喊，他总是急不可待地头一个报出错误答案。

“结果只能是‘0’。”米洛纠正说。

“完全正确，”国王很夸张地鞠了一躬。整行的数字便从他们眼前消失了，“接下来，你们还有什么想看的吗？”

“有！”米洛说，“您能给我们看看世界上最大的数字吗？”

“非常荣幸，”国王说着，打开了一扇橱柜门，“我们之前把它藏起来了，后来用了四个矿工才把它挖出来。”

橱柜里面放着数字

米洛从来没见过这么大的“3”，

它几乎有两个国王那么高。

“不，不对，我说的不是这个意思。”米洛摇头，“我是说，您能给我们看看世界上最长的数字吗？”

“当然。”国王又打开了另外一扇橱柜门，“就在这里，我们用了三辆手推车才把它弄到这儿。”

里面放着一个 8 它的长度几乎超出了人们的想象，几乎等于刚才那个“3”的高度。

“不，不，不，这也不是我想要看的。”米洛不知道该怎么说好了，只能无助地看着咔嗒。

“我想，你想看的是——”咔嗒一边说，一边挠着自己身上那个钟四点半的正下方，“世界上数值最大的数。”

“哎呀，你怎么不早说呢？”国王正忙着测量一滴雨水的边长，“那么，你能想到的最大的数是多少？”

“九万九千九百九十九九千九百九十九万九千九百九十九……”米洛气也没喘地往下背。

“很好！”国王点点头，“现在给它加上个一，再加上个一。”米洛于是加了个一，国王继续重复：“再加一，再加一，再加一，再加一，再加一，再加一，再加……”

“我什么时候才能停下啊？”米洛恳求道。

“永远也不能停下。”国王微微笑了笑，“因为你想要的数字总是比前一个数字至少大一，它是如此之大，你说到明天也说不完。”

“你们从哪儿找的这么大的数啊？”骗人虫嘲讽道。

“我们还有世界上最小的数字呢。”国王回答，“你知道的，对吧？”

“当然。”骗人虫答道，环顾屋子找起来。

“一百万分之一？”米洛回答，他绞尽脑汁地思考着最小的分数。

“差不多。”国王回答，“现在把它除以二，再除以二，再除以二，再除以二，再除以二，再除以二，再除以……”

“我的天啊！”米洛大喊一声，绝望地用手堵住了耳朵，“别跟我说这个也停不下来。”

“如果你能一直除以二的话，”国王说，“当然停不下来。最后，这个数字会变得很小很小，小到你刚要开始说，就已经结束了。”

“这么小的数，你们把它放在哪儿啊？”米洛努力地想象那么小的一个东西是什么样子。

国王停下手中的活儿向他简单地解释说：“我们把它放在一个肉眼看不见的盒子里，这个盒子又放在一个肉眼看不见的抽屉里，这个抽屉又是在一个肉眼看不见的梳妆台里，这个梳妆台放在一间肉眼看不见的房子里，这间房子在一条肉眼看不见的街上，这条街位于一个肉眼看不见的城市里，而这个城市又是一个肉眼看不见的国家的一部分，而这个国家所在的世界也是肉眼看不到的。”

他坐下来，拿了块手帕边扇风边继续说：“当然，我们还把这些东西放在另外一个肉眼看不见的盒子里——不过，如果你愿意跟我来的话，我就告诉你在哪儿能找到它。”

他们走到一扇小窗旁，窗台上系着一根线，这根线一直沿着街道向前延伸，根本望不到尽头。

“沿着那条线一直走，”国王说，“走到尽头的时候向左拐，你就能看到无限之地了，那里保存着这个世界上最长、最短、最大、最小、最多和最少的一切东西。”

“可是我没有那么多时间，”米洛有点着急，“有没有近一点的路啊？”

“嗯，你可以试试走这段台阶，”他打开另外一扇门，向上指了指，“走这儿也能到那里。”

米洛一下子蹦了过去，三步并作两步冲上台阶。“等我一会儿。”他朝咔嗒和骗人虫喊道，“我一会儿就回来。”

16 前往无知山

米洛一直向上奔去，一开始速度很快，后来便越来越慢，越来越慢。不知道爬了多久，那台阶还是望不到头。终于，米洛几乎迈不动腿了。这时他忽然意识到，虽然他已经筋疲力尽，但是台阶那头还是和最初一样遥远，而且他也没离开出发点多远。米洛又努力了一会儿，直到用尽了身上最后一点力气，才瘫倒在台阶上。

“我早就应该想到的。”他含糊不清地咕哝着，放松一下已经软绵绵的双腿，拼命想吸点新鲜空气，“这台阶就和那条望不见尽头的线一样，永远也不可能走到终点。”

“你不会喜欢那个地方的。”一个亲切的声音响了起来，“无限之地极为贫瘠，他们怎么也没有办法做到收支平衡。”

米洛抬起眼循声望去，头仍然无力地窝在掌心里。他已经习惯了最不可思议的人在最不可思议的地方和最不可思议的时间与他搭话——这次，他也丝毫没有失望。挨着他站在台阶上的是半个小孩，他的身体从头到脚被分成了两半。

“这么盯着你真是很抱歉，”米洛盯着小孩看了好一会儿才说，“但我从来没见过半个孩子。”

“准确地说是 0.58 个。”那孩子用他左半边嘴说，因为他只有左半边身子。

“什么？”米洛问。

“是 0.58 个，”小孩重复了一遍，“比一半要多一点。”

“你一直就是这个样子吗？”米洛颇不耐烦地问，他觉得强调那么一点点微小的区别简直就是小题大做。

“哦，我的天，当然不是！”小孩认真地说，“许多年前我只是 0.42 个。唉呀，你不知道那个时候我有多么不方便。”

“那你家的其他人都长什么样啊？”米洛问，他有些同情这个孩子。

“哦，我们就只是普通的家庭啊。”男孩若有所思地说，“妈妈、爸爸，还有 2.58 个孩子——嘿嘿，我说过了，我就是那 0.58 个孩子。”

“只拥有身体的一部分，感觉很奇怪吧？”米洛问。

“一点也不奇怪。”男孩说，“每个家庭都有 2.58 个孩子，所以我的伙伴很多。另外，每个家庭平均有 1.3 辆汽车，我家里只有我能开那 0.3 辆车，所以那辆车就完全归我啦。”

“但平均值是不真实的，”米洛说，“它们只是凭空想出来的。”

“也许是吧，”男孩没有反对，“但是它们有时候非常有用。比如说，如果你身上一分钱也没带，但是正好和其他四个人在一块儿，而这四个人每人有十美元，那么你们每个人平均就会有八美元。你说对不对？”

“就算对吧。”米洛有点底气不足地说。

“想想吧，有了平均值，你会变得多么富有。”男孩自信满满地解释道，“如果一整年都没有下雨，想想那些农民有多么可怜。要不是当地每年有三十七英寸的平均降雨量，农民的庄稼早就全枯死啦。”

这些玩意把米洛整得迷迷糊糊的，因为在学校的时候，他的数学就一直不好。

“还有其他好处呢。”男孩继续说，“再比如说，有一只老鼠被九只猫堵住了，在老鼠眼里，每只猫是总量的十分之一，自己就是剩下的十分之九。如果你是老鼠的话，就会明白平均值有多好了。”

“那是永远不可能的。”米洛猛地站起身来。

“别说得那么肯定。”男孩耐心地对他说，“数学或是其他任何你可能想学的东西里最精彩的一个部分就是：许多事情，人们认为绝不会发生，却经常发生。你看，”他说，“这就像你想要去往无限之地一样。你知道它就在那儿，却不知道是哪儿——但是，并不能因为你永远都到达不了，它就没有探寻的价值。”

“我可没那么想。”米洛一边说，一边沿着台阶向下走去，“我要回去了。”

“这是一个聪明的决定！”男孩赞同地说，“但是，别

放弃，哪天有机会的话再试试——也许你会更接近。”米洛向他挥手再见，男孩也朝他温和地微笑，他平均每天这么笑四十七次。

“这儿的每个人懂得都比我多。”米洛一边想，一边跳下台阶，“如果想救出公主，我得更加努力。”

不一会儿，他就下了台阶，冲进了那间工作室。咔嗒和骗人虫正兴致勃勃地观看国王的表演。

“啊，你回来了。”国王大喊着，友好地朝米洛挥手，“希望你已经找到自己想要的东西了。”

“恐怕没有。”米洛老老实实地承认，极其沮丧地说，“数字国里的一切对我来说都太难了。”

国王理解地点点头，摸了摸下巴，温柔地说：“你会发现，你能轻易做到的唯一一件事就是犯错，那几乎毫不费力。”

米洛很努力地消化着他听到和看到的一切。就在说话的时候，又有一个问题让他感到无比困扰。他轻轻地问：“为什么那些正确的事经常看起来却不对呢？”

国王的脸上流露出无尽的哀伤，泪水充盈眼眶。周围变得很安静，好几分钟之后，国王才开口回答。

“这是多么令人难过的现实啊，”他啜泣着，整个人都倚在手杖上，“自从韵律公主和理性公主被放逐，世界就变得这么无望。”

“的确是这样，”骗人虫开口说，“我个人也是如此认为——”

“这一切都是那个无耻的家伙 ABC 国王造成的。”国王咆哮起来，脸上的悲伤已经完全被愤怒取代，这着实把骗人虫吓了一大跳。国王在屋子里大步踱来踱去，怒气越来越盛，**“这一切都是他的错！”**

“如果您和他谈谈的话……”米洛开口道，但是他根本没有机会把话说完。

“他太不可理喻了，”国王打断了米洛，“上个月，我给他写了一封非常友好的信，但是他一直都没有回，太无礼了。你们自己看吧。”

他把信的复印件递给米洛，上面写着：

4738　1919，

　667　394017　5841　62589

85371　14　39588　7190434　203

27689　57131　481206。

　　　　　　　　5864　98053，

　　　　　　　　62179875073

“也许他看不懂这些数字是什么意思。”米洛压根读不懂这封信。

“胡说八道！”国王大吼道，“每个人都懂数字。不管你说的是哪种语言，数字的意思都是一样的。七就是七，到了哪儿也是七，不会变成八。”

我的天，米洛想，他们对这么司空见惯的东西竟然这么敏感。

“其实，如果您同意的话，”咔嗒换了个话题，“我们非常愿意去救韵律公主和理性公主。”

“ABC 国王同意了吗？”国王问。

“同意了。”咔嗒向他保证。

“那样的话，我不同意，”他又吼道，“自从她们被放逐，我们的意见就没有统一过——我们永远也不会有统一的意见！”他重重地扔下这句话，一张脸变得阴暗凶恶。

“永远？”米洛不太确定地问。

“永远！”国王肯定说，“如果你能提供与刚才相反的证据，我就同意让你们去。”

“好吧。”米洛说。自从离开词语国，他就一直在很认真地考虑这个问题，“也就是说，只要 ABC 国王同意的事，您就不会同意，对吧？”

“正是如此。”国王带着一脸宽厚的笑容说。

“那么，只要ABC国王不同意的事情，您就会同意，对吧？”

“也没错。”国王打了个哈欠，事不关己似的拿手杖的铅笔尖剔起了指甲。

“你们都同意不同意对方这件事。”米洛欢呼起来，“那么你们就对这一件事有相同意见，这难道不是意见一致？”

“**你要我！**”国王无望地叫起来。但不管他怎么想，米洛说得都很有道理。

“太棒了！”骗人虫高兴地说，“和我想的一模一样。”

“现在我们能去了吧？”咔嗒问。

最后，国王落落大方地接受了自己的失败，他无力地点点头，把他们三个拽到了自己身边。

“这是一趟漫长而又艰险的旅程！”他轻轻地开口说，眉宇间全是担忧，“远在你们找到她们之前，恶魔就知道你们在哪儿了。”他大声强调，“一定要小心！不然等到恶魔现身，一切都晚了。”

骗人虫颤抖着瘫软下去，米洛感觉他的指尖一下子变得无比冰凉。

“但是还有另外一个严重得多的问题。”国王担忧地低语。

“是什么？”米洛屏住呼吸问，心里却有点害怕知道。

“恐怕只有等你们回来了才能告诉你们。来，”国王说，“我给你们指路。”说着，他轻而易举就扛起三个人，立刻到了数字国的边境。他们眼前是智慧王国，一条狭窄的满是车辙的路，一直通往黑暗的深山。

“我们的车可没办法走这种路。”米洛有点不开心地说。

“那是当然，”国王回答，“但是你们不用长途跋涉，一下子就能到无知山。接下来，如果想要成功，就得一步一步脚踏实地了。”

“我还想带上我的礼物。”米洛坚持说。

“当然得带上。”十二面体人的声音忽然响了起来。不知道他从哪里冒了出来，怀里塞得满满的，“这是你的望远镜，这是你的声音包裹，还有这个，”他递给米洛最后一件东西，露出轻视的脸，“这是你的词语盒子。”

“啊，还有最重要的，”国王补充说，“这是你们的魔杖。好好地利用，这个世界上没有它做不到的事情。”

他往米洛胸前的口袋里塞了一支闪闪发光的铅笔。这支铅笔和他自己的差不多，就是尺寸小了点。123 国王和十二面体人（十二面体人同一时间露出了啜泣、皱眉、痛苦、叹气的表情）最后又鼓励了他们几句，和他们道了再见，然后目送着三个小小的身影消失在无知山那令人生畏的阴影里。

光线很快消失了，路一直向上延伸，不知道终点在哪里。骗人虫浑身颤个不停，他很不情愿地一步一步慢慢挪着。咔嗒还是像往常一样警觉地在前面带路，防止可能出现的危险。米洛把装满珍宝的背包挂在肩头，沉默而坚定地跟在他们身后。

“我们是不是应该派个人回去守着路啊？”一脸不高兴的骗人虫建议，并主动请缨，但是，他的提议完全被无视了，所以他只能一脸阴沉地跟上。

他们爬得越高，四周就越暗。这种暗不是夜晚的那种暗，倒像是潜伏的阴影和邪恶的意图从布满青苔的黏湿的悬崖上渗透出来，把光明完全遮盖了。

他们沿着这条令人头晕目眩的小径继续向上爬。小径的一边布满摇摇欲坠的尖利的石头，仿佛随时会掉下来，另一边则是一望无际的深渊，看不见边界，也望不到底。

“我什么也看不到了。”一股浓雾遮盖了月亮，米洛害怕地抓住了咔嗒的尾巴，“我们要不要等天亮了再走？”

“添两个人，就可以开追悼会了。”他们头顶忽然传来一个声音，随后是一阵惹人生厌的嘎嘎大笑，就像是一个人被鱼刺卡了嗓子。

原来发出声音的是一只巨鸟，他正紧紧地贴在那些黏糊糊的石头上，几乎与石头融为一体。这只鸟羽毛蓬乱、肮脏无比，就像一个脏污不堪的拖把。他的嘴尖而锋利，看起来十分危险。他还用一只眼不怀好意地盯着米洛他们。

“我不知道你是否明白，我们正在找过夜的地方。”米洛胆怯地开口，旁边的咔嗒发出了一声警惕的咆哮。

“夜晚可不是让你们过的。”巨鸟又发出了尖厉的声音，随后恐怖地大笑。

“这样说不对，没缘由……”米洛打算解释一下。

“美元和美分也不是让你们花的。”巨鸟趾高气扬地继续说。

“我不是……”米洛急着解释。

“当然是你的不是。”巨鸟打断他，闭上了刚才睁着的

那只眼，睁开了刚才闭着的那只眼，“任何一个想要度过不属于自己的夜晚的人都有不是。”

“不要卖弄……”米洛拼命地想把话题扯回来。

“那就另说了，”巨鸟再次打断了他的话，面色稍微缓和了一些，“如果你想买的话，我倒是能卖给你，但是如果你们一直这样，最后非常可能拐进死胡同。”

“唉，怎么办。”米洛无助地叹道，巨鸟的断章取义，弄得他一头雾水。

“是的。”巨鸟咂了咂嘴，“凉拌的不好吃。如果我是你的话，老早就撤了。”

“让我再试试吧。”米洛还在力争，“也就是说……”

“你还有话说？”这只鸟欢快地叫道，“好吧，不管怎么说，试试看。一看就知道你不会措辞。”

“你非得打断别人说话吗？”咔嗒烦躁地说，即使他性子好，也开始不耐烦了。

“没错。”巨鸟嘎嘎叫了一声，“我的工作就是把词语从你们的嘴里取出来。我们之前没见过吗？我就是无处不在的‘夺词鸟’，我认得你们那位甲虫朋友。”他大大地向前倾身，向骗人虫露出一个心照不宣的微笑。

骗人虫个头太大，无处藏身，害怕地一动也不敢动，只能极力否认。

“无知山里的所有居民都和你一样吗？”米洛问。

“他们比我要糟糕多了。”巨鸟渴慕地说，“可是我不住这儿，我来自一个遥远的地方，那里叫‘上下文城’。”

“你不认为你应该回去吗？”骗人虫鼓起勇气说，同时举起一条胳膊挡在身前自卫。

“这是一个多么恐怖的提议。”巨鸟竟然害怕地浑身战栗起来，“你不知道那里是多么糟糕的地方，我拼了老命才从那里跑出来。再说了，还有哪儿比这些脏兮兮的石头好呢？”

哪儿都比这儿好吧，米洛暗想，把领子立了起来。然后他问脏鸟：“你是一个恶魔吗？”

“恐怕不是。”巨鸟难过地回答，几行污秽的泪水沿着嘴角滚落下来，“我努力过了，但就是成不了恶魔。”米洛还来不及说点什么，他就扇动着脏兮兮的大翅膀飞走了，灰尘、泥土和绒毛纷纷而下，像瀑布一样。

“还有重要的……”米洛喊道，他刚刚想到了好多要问的问题。

“我的体重是三十四磅。”脏鸟尖叫一声，消失在浓雾里。

“他一点忙也没帮上。”又走了一会儿，米洛说。

“所以我要把他撵走。”骗人虫一边喊一边使劲挥舞着他的手杖，“走吧，我们去找恶魔吧。”

“那可能比你想象的还要快。”咔嗒一边说一边回头看了一下忽然开始发抖的骗人虫。小路再次改变了方向，他们继续向上爬。

几分钟后，他们终于爬到了山顶，结果发现，旁边还矗立着一座更高的山，山那边还有几座山，而且一座比一座高，它们的顶峰都探入那旋涡一般的黑暗里，根本无法看清。走了一段以后，路变得平坦开阔起来。只见一位举止优雅的绅士正悠然自得地靠在一棵枯死的树上。

这位绅士穿着笔挺的黑色西装、熨烫过的衬衫，打着领带，鞋子锃亮，手指洁净，帽子刷得亮闪闪的，胸前的口袋里还叠放着一块白色手帕。但是，他的表情有点单调，或者可以说，他完全没有表情，因为他没有眼睛，也没有鼻子，连嘴巴都没有。

“你好，小男孩。”他亲切地和米洛握手，“哦，我们这只狗也很好吧？”

他结结实实地拍了咔嗒几下以示友好。“哦，这位长相非凡的先生是谁啊？”他礼貌地朝一脸高兴的骗人虫摘下帽子，“很高兴见到你们。”

能碰见像他这么友好的人，真是太高兴了，尤其是在这种地方。三个伙伴都在心里暗暗地想。

“我是否可以占用你们一点时间？”绅士很有礼貌地问，“我想让你们帮我做点小事。”

“当然没问题了！”骗人虫高兴地回答。

“很荣幸！”咔嗒也回答。

“完全没问题！”米洛心里有点纳闷，一个没有五官的人是如何做到这样和蔼可亲的呢？

“那太好了！”绅士高兴地说，“正好有三件事情要做。首先，我想把这堆沙从这边移到那边。”他指着一个巨大的细沙堆，“可是，我只有这些小镊子。”他把镊子递给米洛。米洛马上动手干了起来，一次夹起一粒沙子，仔细搬运着。

“然后呢，我想把这口井里的水汲出来，倒进另外一口井里去，但是我没有水桶，你们得用这个滴管。”他把滴管递给了咔嗒。咔嗒开始用滴管把水从一口井运到另外一口井，当然，他每次只能运一滴水。

“嗯，最后，我要在这悬崖上钻个洞。拿这根针去吧。”兴致勃勃的骗人虫迅速投入到工作中去，用针一点点地挑着坚硬的花岗岩。

他们都开始工作后，那位绅士很高兴地回去靠着枯树，继续表情空洞地盯着小路，而米洛、咔嗒和骗人虫则在一旁忙个不停。

一个小时接着一个小时，一个小时接着一个小时，一

个小时接着一个小时，一个小时接着一个小时，一个小时接着一个小时，一个小时接着一个小时，一个小时接着一个小时，一个小时接着一个小时，一个小时接着一个小时，一个小时接着一个小时，一个小时……

17
不受欢迎的来客

骗人虫一边干活，一边愉快地吹着口哨，他从来没这么高兴过，因为这活儿根本不用动脑子。好几天之后，他终于挖出了一个大概能容下一根大拇指的洞。咔嗒把滴管咬在嘴里，来回奔忙，但是那口井还是和开始时一样满，井水一点也没有少的迹象。米洛的情况也没好到哪儿去，他搬走的沙子还不能称作“堆”。

“好奇怪啊。”米洛说，但他手上一刻也没停，“我一直在干活，但是一点也没觉得累或者饿。我想我能一直这么干下去。”

“也许你真的可以。”绅士打了个哈欠表示同意，或者说，他发出的声音听着很像打哈欠，因为看不到他的五官。

“我想知道我们还得多长时间才能干完。”和咔嗒擦肩而过时，米洛低声说。

“你怎么不用魔杖来算一算？”咔嗒虽然嘴里咬着滴管，但还是十分清楚地对米洛说。

米洛从口袋里掏出那支亮闪闪的魔杖。他很快就算出，按他们现在的效率，八百三十七年之后才能把活儿干完。

“很抱歉！”米洛用力拽了拽绅士的袖子，把一张写满数字的纸条给他看，“我们干完这些工作需要八百三十七年。”

“嗯，真的吗？”绅士随口回答，头都没回，“那你最好赶紧回去接着干。”

“但是看起来真的很没有必要。”米洛轻轻地说。

“**没必要**？”绅士愤怒地喊了起来。

“我的意思是，这可能不太重要。”米洛换了个说法，尽量保持礼貌。

“当然不重要，”绅士怒气冲冲地咆哮道，“要是重要的话，我就不会让你们去做了。”这次，他终于把脸转了过来，看起来很不高兴。

“那为什么还要做呢？”咔嗒问，他的闹钟忽然响了起来。

“那是因为，我的小朋友们，”绅士不情愿地咕哝道，“还

有什么比做不重要的事情更重要呢？只要你们做不完，就永远去不了想去的地方。”他忽然发出一阵邪恶的笑声。

“那你肯定是……”米洛倒抽了一口凉气。

“正是！”他发出了胜利的尖叫，“鄙人就是大名鼎鼎的‘时间杀手’，具体来说就是，掌管琐碎事情和无价值工作，专门让人白费力气，让人养成坏习惯。”

骗人虫丢掉手里的针，难以置信地看着那个男人，米洛和咔嗒则慢慢地向后退去。

“别想着逃跑，”绅士命令道，威胁地挥舞了一下胳膊，“你们要做的事情还多着呢，还要八百多年你们才能干完这第一份活儿。”

“可是，你为什么只做无聊的事情呢？”米洛问，他忽然想起来，以前他每天也都会花很多时间做一些无聊的事情。

“想想它们能省掉多少麻烦吧。”男人解释道，空白的脸看起来就像正在邪恶地笑——如果他能笑的话，“如果只做轻松无用的工作，那么就永远也不必为那些既重要又很困难的工作担心。你不会有那个时间的，因为手头总有事情要做，没办法腾出时间来做应该做的事情。哼，要不是那根麻烦的魔杖，你永远也不会知道自己浪费了多少时间。”

他一边说一边踮着脚向他们走过来，摊开手臂，继续用那种轻软、虚伪的语气低声说："好了，到我这儿来，留下来，和我待在一起。我们会有很多乐子的。我们得把一些地方填满，把另外一些地方空出来；把一些东西搬走，把另外一些东西搬来；把一些东西捡起来，把另外一些东西丢掉。另外，我们还得削铅笔、挖洞、把钉子弄直、舔邮票……要做的事情多着呢，简直没完没了。怎么样？你们要是留下来，以后就再也不需要思考了——只要稍加训练，你们也能像我一样。"

他们都被时间杀手那舒缓人心的声音攫住了，一动也不能动。正当时间杀手要用他那漂亮干净的手抓住他们的时候，一个声音忽然响了起来："**跑！快跑！**"

米洛以为是咔嗒喊的，忽地转身，冲上了小路。

"**跑！快跑！**"那个声音再次喊道。咔嗒以为是米洛喊的，马上跟了上去。

"**跑！快跑！**"那个声音继续催促。骗人虫根本不管到底是谁喊的，只是不顾一切地向他的两个朋友跑去。他身后紧紧地跟着恶魔时间杀手。

"这边！来这边！"那个声音又喊道。他们循着那声音，十分艰难地沿着打滑的石头向上爬，几乎每向上一步都会向后滑一点。费了好大的劲，加上咔嗒用爪子相助，他们才终于到了山顶，但是也就比火冒三丈的恶魔快一点点。

“这儿！来这儿！”那个声音还在招呼。他们没有丝毫犹豫，便冲进了一个满是泥的深坑里。他们的脚踝很快被淹没，接着是膝盖，然后是屁股。

最后，他们感觉自己就像在一个花生酱齐腰深的池子里艰难前行。

恶魔时间杀手这时发现有一堆卵石需要数一下，便没再跟着他们，但他还是站在坑边晃着拳头，喊了些威胁的话，并发誓要唤醒山里所有的恶魔。

“多么下流险恶的家伙啊！”米洛上气不接下气地说，他又惊又累，几乎迈不开步了，“我希望再也不要遇见他。”

“我想他不会再来追我们了。”骗人虫一边说，一边转头向身后看。

“后边怎么样我倒是不担心。”他们从黏而腻的泥坑里爬出来后，咔嗒说，“我担心的是前面。”

“笔直往前！笔直往前！”当他们小心翼翼地在新的小路上摸索的时候，刚才那个声音又响了起来。

“向上跨一步！向上跨一步！”那个声音又建议。还没等他们搞明白是怎么回事，就自动向上跨了一步，结果一起掉入了一个阴暗的深坑里。

“他说了向上！”米洛摊开四肢躺在坑底，抱怨道。

“嗯，你们可别以为跟着我走，就哪儿都去得了。”那个声音说，听起来十分开心。

“我们是走不出这里了。”骗人虫看着四周陡峭光滑的坑壁，绝望地呻吟。

“这的确是对现状的准确判断。”那个声音无比冷酷。

“那你为什么还要帮我们？”米洛生气地大喊。

“哦，对其他人我也会这么做。”声音回答，“我的专长就是提坏主意。如果能清楚地看到我，你们就会知道，我长着长鼻子、绿眼睛、卷头发、阔嘴巴、粗脖子、宽肩膀、

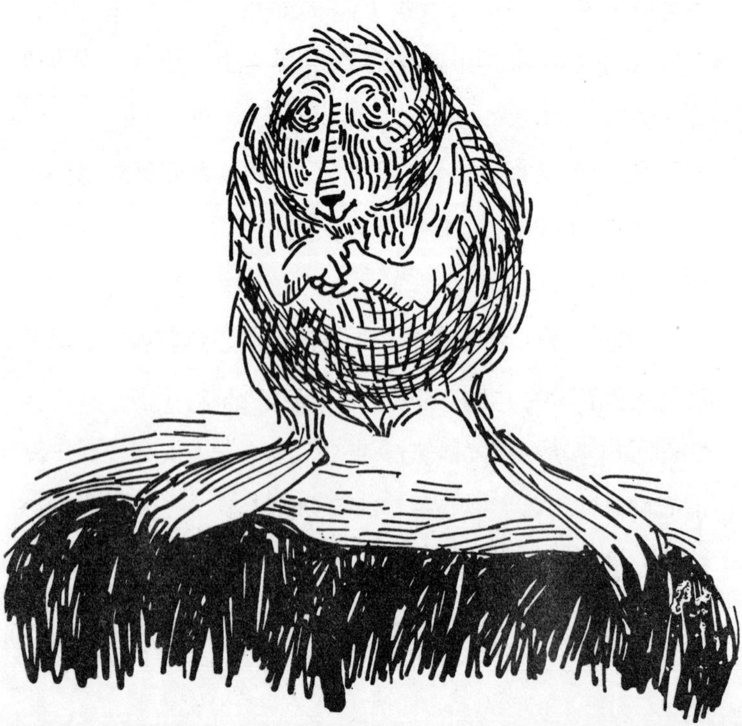

圆身体、短胳膊、罗圈腿和大脚丫——甚至可以说，我是这块荒野里最令人恐惧的人之一。有我在这儿，你们压根儿就别想逃跑。”说完，恶魔慢吞吞地走到坑边，斜眼看着那三个绝望的囚犯。

咔嗒和骗人虫害怕地转过了身，米洛现在已经知道，人们不一定是他们自己说的那个样子，所以他取出望远镜，准备好好地看一下。果然，站在坑边的根本不是那个声音描述的怪物，而是一个小小的、毛茸茸的生物：眼里满是担忧，嘴角挂着胆怯的笑。

“什么啊，你根本没有什么长鼻子、绿眼睛、卷头发、阔嘴巴、粗脖子、宽肩膀、圆身体、短胳膊、罗圈腿和大脚丫嘛——而且你一点也不可怕。”米洛气愤地说，“你是哪种恶魔？”

这个小小生物知道真相被发现以后十分震惊，他退出他们的视线范围，低低地啜泣起来。

“我是伪善。”他啜泣道，“我说的是假的，我做的是假的，我描述的我也是假的。许多人听了我的话都相信了，于是他们走错了路，就只能永远留在那儿。但是你和你那个可怕的望远镜把这一切都毁了。我要回家了。”他歇斯底里地哭着，生气地跑开了。

“看清楚东西真是太重要了！”米洛一边小心地把望远

镜收好，一边说。

“我们现在要做的就是爬出去。”咔嗒说。他把前爪尽可能高地攀在坑壁上，“过来，踩到我背上。”

米洛爬上了咔嗒的肩膀，骗人虫爬到米洛的头顶，总算用手杖勾到了一棵老树扭曲的根。他一边大声抱怨，一边牢牢地挂在那里，等米洛和咔嗒先爬上去。等米洛和咔嗒把他拽上去的时候，骗人虫已经头昏脑涨，全身乏力。

“我在前头带会儿路。”骗人虫打起精神，拍了拍身上的土，“跟着我走，咱们就能离麻烦远点。”

前面有五条狭窄的路，骗人虫带领着他们俩沿着其中一条向前走去，路的前方是布满沟槽和车辙的高地。他们停了下来，打算休息一下，做做计划。但是整座山忽然开始剧烈地摇晃起来，然后倾斜着向空中飞去。米洛他们也飞了起来。这一切都是因为他们无意间踏进了“软塌塌巨人”那满是老茧的手心。

“看我手里这是什么东西啊！”软塌塌巨人咆哮着，十分好奇地盯着手心里缩成一团的小东西们，舔了舔嘴唇。

巨人个头惊人，就算坐下来，那高度也是无法想象的。他有一头乱蓬蓬的头发和两只鼓起来的眼睛。至于他的形状就不必浪费笔墨来描述了。事实上，他看起来就像是一

大碗果冻，只是没有碗盛着而已。

“你们竟敢吵醒我！”他怒气冲冲地大吼，火热的气息吹得米洛他们在他的手里翻了好几个跟头。

“非常抱歉！”米洛礼貌地道歉，整整自己的衣服，“但是您看起来就像是山的一部分。”

“那是自然。”巨人缓了缓语气，但是听起来仍然像什么在爆炸，“我没有形状，所以就试着变成我接近的东西的样子。在山里，我就是一个孤高的山顶；到了海边，我就是一片宽广的沙洲；在森林里，我就是一棵参天的橡树；有时候到了城市，我就变成了一栋豪华的十二层公寓。我讨厌暴露自己真实的样子，那太不安全了，你知道的。”说完，他又饶有兴趣地看着他们，想知道他们尝起来味道怎么样。

“您这么大，应该不会害怕什么才对。”米洛赶忙开口，因为巨人已经朝他们张开了大嘴。

“才不是呢。”巨人说，一股轻微的战栗刹那间蹿遍全身，“我什么都怕，所以才装出一副凶恶的样子。如果被其他人知道，我就死定了。好了，别说话了，安静点，我要开始吃早餐了。”

他张开大嘴，举起手，准备把他们吞下去。骗人虫紧紧闭上眼睛，两只手牢牢抱住头。

“也就是说，您并不是一个可怕的恶魔咯？”米洛不顾

一切地问。他一心希望这个巨人也接受过“吃东西的时候不要说话”的教育，这样他如果回答，就可以暂时不吃他们了。

“嗯，大概是吧。”巨人回答，胳膊垂了下去。骗人虫长长地舒了一口气。“也许又不是。我的意思是，我比较可能是恶魔——换句话说，我大概可能是恶魔。但其他人怎么想呢？你看，”他气恼地说，“我甚至害怕说句肯定的话。所以请不要再问问题啦，我都快没胃口了。”他再次抬起胳膊，打算一口吞掉他们三个。

“那您为什么不帮我们救出韵律公主和理性公主呢？那样的话，事情可能就好多了。”米洛喊道。他们就要成为巨人的腹中餐，从这个世界上消失了。

“噢，我可不会这么做。”巨人若有所思地说，再次垂下胳膊，“我的意思是，为什么就不能不管那些事情呢？那些都是没用的。而且，我永远也逮不着机会。换句话说，我们应该让事情保持原样——变化太恐怖了。”他忽然变得有点病恹恹的。“我可能只吃掉你们其中的一个，”他不太高兴地说，“攒下一些，以后再吃。我现在觉得有点不太舒服。”

“我有一个更好的想法。”米洛说。

“真的吗？”巨人已经完全没有吃他们的欲望了，“如果说有什么东西我没办法一口吞下去，那就是想法，它们太难消化了。”

“我有一个盒子，里面有这个世界上所有的想法。”米洛一脸骄傲地举起了 ABC 国王给他的礼物。

光是想一想，巨人就受不了了，他开始发起抖来，像一块抖动着的巨大的布丁。

“求求你把我放下来，让我离开这里吧！”他苦苦恳求，有一瞬间他都忘了是谁抓着谁了，**“千万、千万不要打开那个盒子！”**

不一会儿，巨人就把他们送到了一个锯齿形的山顶。他一脸惊恐，刚把他们三人放下，就拖着沉重的步子离开了，好尽快把这个消息通知大家。

消息就像长了翅膀一般很快传播开来。而在这之前，那只脏兮兮的夺词鸟、时间杀手，还有那“长着长鼻子、绿眼睛、卷头发、阔嘴巴、粗脖子、宽肩膀、圆身体、短胳膊、罗圈腿和大脚丫”的伪善恶魔早已将这件恐怖的事传遍了充满邪恶的无知山。

恶魔们一个接一个地现身——每个洞穴和裂缝里，每条沟壑和裂痕里，石头下面，污泥里，都钻出了恶魔。他们或是踏着沉重的步子走着，或是拖着庞大的身躯追赶，或是沿着山坡滑行，纷纷穿过黑暗的阴影，朝一个地方赶去。

所有的恶魔都只有一个念头：摧毁入侵者，保护无知山。

站在山顶上的米洛、咔嗒和骗人虫可以看到恶魔们正源源不断地冲过来，虽然离他们还有一段距离，但是恶魔们走得很快。悬崖四周都是这些爬行、涌动、蠕动着的蹒跚身影，看上去就像是整座山都活了过来。有些恶魔的样子可以清楚地看到，有些只能看到模糊的轮廓，还有一些刚刚从污秽的窝里钻出来，所以不得不爬得更快一点。

“我们最好快点，”咔嗒喊道，“否则肯定会被他们抓住的。”他沿着小路往上跑。

米洛深吸了一口气，跟在咔嗒后面跑了上去，骗人虫也明白了眼前的处境，所以恢复了精神，快速冲到前面。

18 空中城堡

他们一步一步向着高处爬去，找寻着城堡和两位被放逐的公主——从一个山顶到另一个山顶，在参差不齐的石头间前行。他们爬过可怕的悬崖，走过狭窄不堪的小路，不断向前。不小心一个失足，他们就得与这个世界说再见。不祥的沉默就像幕布一样笼罩着他们，除了狂乱的脚步声，周围一片寂静。米洛根本没空考虑什么，他满脑子只有恶魔——恶魔就在后边，他们就要追上来了。

“他们来了！”骗人虫喊道，有点后悔刚才向后看了一眼。

“在那儿！”米洛同时喊道。他们的正前方出现一条细长的螺旋形台阶，它的起点是山顶，终点就是空中城堡。

“看到了，看到了！”骗人虫喜出望外地喊了起来。他们三个你追我赶，沿着曲折的山间小路冲了上去。但是他们看到，第一级台阶前蜷缩着一个小小的矮胖男人，他穿着一件双排扣长礼服，躺在一个巨大的、已经很破旧的本子上。

他耳朵上岌岌可危地别着一支长长的羽毛笔，手上、脸上，还有衣服上都是墨汁。他还戴着一副厚厚的眼镜，米洛从来没见过那么厚的眼镜。

“小心点！”当他们终于到达山顶的时候，咔嗒低声提醒道。骗人虫轻手轻脚地绕过那个人，走上了台阶。

“**名字？**”骗人虫刚刚踏上第一级台阶，矮胖男人就轻快地问了一句。骗人虫吓了一大跳。矮胖男人很快坐起身，把本子从身下抽了出来，接着戴上一个遮光眼罩，拿好笔等着骗人虫回答。

“啊，那个，我……”骗人虫结结巴巴。

“**名字？**”矮胖男人又问了一遍，接着，他把账本翻到五百一十二页，刷刷地写了起来。那支羽毛笔发出了极为恐怖的摩擦声，笔尖还老卡在纸上，弄得墨水飞溅。米洛他们报了自己的名字，矮胖男人很仔细地按照首字母顺序记了下来。

“好极了，好极了，好极了！”他自个儿嘀嘀咕咕地说，“我好长时间没有见到 **M** 打头的名字了。”

“你想拿我们的名字做什么？”米洛一边问，一边紧张地往身后看，“我们有点急事。”

“哦，不会浪费你们时间的，”矮胖男人向他们保证，“我是官方的感觉采集官，在收走你们的**感觉**之前，我得先收集一些你们的信息。好了，现在告诉我，你们是什么时候出生的，在哪儿出生的，为什么会出生，你现在多大，刚才多大，过一会儿多大，你母亲的名字，父亲的名字，婶婶舅妈的名字，叔叔舅舅的名字，表兄弟姐妹和堂兄弟姐妹的名字，你在哪儿住，在那儿住了多长时间，你上过哪些学校，没上过哪些学校，你的爱好有哪些，你的电话号码是多少，穿多大的鞋、多大的衬衫、多大的衣领，戴多大的帽子，能证明这些信息准确性的六个人的姓名和地址。好了，我们开始吧。一个一个来，请排好队，不要拥挤，不要聊天，也不要偷看。"

骗人虫是第一个，他几乎什么都不记得了。矮胖男人悠闲自得地在五个不同的地方记下了每个回答，他还老停笔擦擦眼睛、清清嗓子、整整领带、擤擤鼻涕，看起来一点也不着急。当然，他还朝可怜的骗人虫甩了一身的墨水。

"**下一个！**"问完骗人虫，他非常有派头地喊道。

真希望他能快一些。米洛向前跨了一步，他看见第一个恶魔已经爬上山，正向他们冲来，估计没几分钟就会来到他们面前。

矮胖男人不停地写着，脸上是一副深思熟虑的表情。终于，他写完了米洛和咔嗒的信息，高兴地抬起了头。

"我们能走了吗？"咔嗒问。他敏感的鼻子捕捉到了一股越来越近的、令人憎恶的邪恶气息。

"无论如何，"矮胖男人和蔼可亲地说，"请告诉我以下信息：你的身高，你的体重，你每年读多少本书，没读多少本书，你每天用于吃饭、玩耍、工作和睡觉的时间分别是多少，你去哪里度假，每周吃多少个冰激凌，你家离理发店有多远，最喜欢的颜色是什么。然后呢，请填写这些表格和申请书——一式三份——啊，请务必小心，如果填错一个，就得从头开始。”

“我的天！”米洛看着那堆文件无望地叹着气，“我们没办法填完。”就在他们说话的时候，恶魔们鬼鬼祟祟地涌上山来。

“过来，过来！”感觉采集官自得其乐地咯咯笑着，“可别花一整天填这个，我随时都等着更多的拜访者呢。”

他们开始飞快地填那堆难填的表格。填完以后，米洛把表格放到矮胖男人的膝盖上。男人很有礼貌地向他们道了谢，摘下遮阳眼罩，把笔别回耳朵上，合上本子，再次进入了梦乡。骗人虫一脸恐惧地向后看了一眼，飞快地跑上台阶。

“**目的地**？”感觉采集官突然喊道，再次坐起身来，戴上遮阳眼罩，从耳朵上取下了笔，然后打开本子。

“可是我以为……”骗人虫震惊地抗议。

“**目的地**？”矮胖男人重复着，并在本子上做了几个记号。

“空中城堡。”米洛很不耐烦地说。

“为什么要烦恼？”感觉采集官指着远处说道，“我想你会乐意欣赏一下我即将给你们看的东西。”

听了他的话，他们都向上看去，但是只有米洛能看到地平线上那色彩艳丽的欢快马戏团。那里有帐篷表演、露天表演、骑马表演，甚至还有野兽表演——无论哪一样都能让一个小男孩长达几个小时目不转睛地看。

“你难道不想闻一闻更加美妙的香气吗？”感觉采集官对咔嗒说。

咔嗒很快就闻到了一股绝妙的气味，除了他没人闻得到。这种气味能完全满足他那挑剔的鼻子。

“这里有一点东西，我想你会愿意听的。”男人向骗人虫保证。

骗人虫全神贯注地听起来，这声音只有他能听到——那是来自一大群人的欢呼和赞美，是专为他发出的。

他们三个神情恍惚地站在那里，各自看着、闻着、听着感觉采集官给与他们的最特别的东西。他们已经完全忘记了要去哪儿，也完全忘记了后面还有一群杀气腾腾的恶魔正朝他们追来。

感觉采集官又坐了下来，他看着那群恶魔越来越近，直到面前的三个人下一秒就要惨遭毒手，肿胖的脸上浮现出心满意足的笑容。

但是，米洛正沉迷在马戏团的表演里，根本无暇注意身边发生了什么事；咔嗒闭上了双眼，专心地闻味；骗人虫则不停地鞠躬挥手，脸上散发着幸福到极致的光芒，完全陶醉在一片喝彩声中。

矮胖男人圆满地完成了任务，除了让人听了极不舒服的爬行声，四周再次恢复了宁静。米洛依旧表情凝滞地望着远方，一不小心把他那装礼物的包掉到了地上。装满声音的包裹打开了，霎时，空中充满了快活的大笑。被这样的笑声感染，米洛也哈哈大笑起来，接着是咔嗒，然后是骗人虫，都大笑起来。束缚他们的魔咒解开了。

“这里根本没有什么马戏团！”米洛大喊，明白自己被骗了。

“也没有好闻的味道。”咔嗒吠叫起来，他的闹钟开始大叫。

“掌声没有了，欢呼声也没有了。”骗人虫一脸失望地嘟囔。

“我警告过你们，我是感觉采集官。”感觉采集官冷笑了一声，“我可以帮人们找到他们没找的东西，让他们听到他们没听的声音，让他们追逐他们没追逐的东西，让他们闻到周围根本没有的气味。啊，还有，”他咯咯地尖笑了一声，快活地蹬着两条又粗又短的腿跳来跳去，“我会偷走你们的目标感，取走你们的使命感，破坏你们的分寸感。如果没有那件东西，你们就无计可施啦！”

“哪件东西？”米洛胆战心惊地问。

“只要你们有笑声，”他很不高兴地抱怨道，“我就没办法拿走你们的幽默感——你们只要有那个，就不害怕我了。”

“可是我们拿他们怎么办？”骗人虫惊慌失措地大喊，因为这个时候，恶魔们终于爬上了山顶，正跳着冲过来，要抓他们。

他们争先恐后地往台阶上冲去，忙乱中挤倒了脸色阴沉的感觉采集官，还弄翻了他的本子、墨水瓶和遮光眼罩。骗人虫冲在最前面，接着是咔嗒，最后是米洛。米洛险些被抓到，因为已经有一条带鳞的胳膊扫过了他的鞋。

阶梯危险地在风中摇来荡去，让踩在上面的人头昏眼花。那些恶魔因为个个身体笨重，都不敢跟上去，只能在下面暴躁地咆哮、吼叫，大嚷着要报仇雪恨。那三个小小的身影消失在了云里，下面还有无数双冒火的眼睛直勾勾地盯着他们消失的方向呢。

“别往下看。”米洛看到骗人虫的腿一个劲儿地打颤，差点掉下去，便警告道。

这阶梯就像一个巨大的螺丝锥，在黑暗中扭曲着，又陡又窄，也没有可以依靠的栏杆。风猛烈地吹着，似乎要把他们三个撕裂，浓雾用湿冷的手指抚上他们的后背，带来阵阵寒气。他们始终互相扶持，坚持不懈地向着让人晕眩不已的高处爬去。终于，云层散开了，黑暗也消失了，金色的阳光洒在他们身上，仿佛在欢迎他们到来。城堡的门缓缓打开。他们走进一个大厅，站在一张像雪堆一样柔软的毯子上不安地等待着。

“请进来，我们正等着你们呢。”两个甜美的声音一起说道。

在大厅远远的一端，一块银色幕布缓缓拉开，走出来两个年轻的姑娘。她们一身洁白，美丽得无与伦比。其中一位面色庄重沉静，眼里流露出暖意和谅解，另外一位则满脸欢喜，看起来十分活泼。

“您一定就是纯粹理性公主。”米洛向第一位姑娘深深地鞠躬。

她只简短地回答了“正是”。但这就足够了。

“您是甜美韵律公主。”米洛又朝另外一位姑娘微笑着说。

她的眼睛里迸出明亮的光芒，笑着回答了他，声音美妙，就像是邮递员送信时摇响的铃铛。

“我们是来救你们的。”米洛很严肃地说。

“恶魔就在后边呢。”骗人虫担忧地说，他还在为刚才的痛苦考验而颤抖不停。

“我们必须尽快离开！”咔嗒说。

“别担心，他们不敢来这儿。”理性公主温柔地说，“我们很快就下去。”

“干吗不坐下来休息休息？”韵律公主建议，“你们肯定很累。是不是走了好长时间？”

“好多天了。”筋疲力尽的咔嗒叹了口气，蜷在了一块毛茸茸的毯子上。

“是好多个礼拜了。”骗人虫纠正他，然后扑进一把舒服的扶手椅里，自在地休息去了。

“确实是很长的旅行。”米洛边说边爬到公主们坐着的长椅上，“但是，如果我没有犯那么多的错，我们就可以更早一些来到这里。都是因为我，都是我的错。”

“千万不要怕犯错，更不要因为犯错而沮丧。”理性公主温柔地安抚他，“只要你能从错误里汲取教训就好了。出于正当的理由而犯错比出于不正当的理由而做对要好多了，你可以从中学到更多的东西。”

“对,要学习的东西太多了。”米洛若有所思地皱起了眉。

“没错。”韵律公主说，“但是，光学习是不够的，关键的是，你要知道，学这些有什么用，以及为什么要学这些东西。”

“我就是这个意思。”米洛说。此时，咔嗒和疲倦的骗人虫已经进入了梦乡。“我得学好多东西，但是又觉得好多都没用，我完全不知道为什么要学它们。”

“你现在可能还看不出来。”纯粹理性公主很是理解地看着米洛困惑的脸，“但是，你要知道，我们学习任何东西都是有目的的，我们所做的一切都会影响到周围，哪怕只是一丁点的影响。你看，家蝇扇扇翅膀，全世界就会吹起微风；就算只是一粒灰尘掉到地上，整个星球的重量也会增加一点；当你跺脚的时候，地球就会轻轻地偏离原来的轨道；无论何时，只要你大笑，愉快就会像池塘里的涟漪一样散播开来；当你伤心的时候，任何地方的人都不可能真正地快乐。知识也是这样，你每学到一点新知识，这个世界就会变得更加丰富多彩。”

“还有，要记住。”甜美韵律公主补充说，“你想看的许多地方在地图上都是没有的，你想知道的许多事都在你看不见或是够不着的地方。但是，有一天，你会把它们全部找到，因为你今天所学的知识将会在明天帮助你发现所有的秘密，这是不需要什么理由的。”

“我想我可以理解了。”米洛说，还是一脑子的问题和想法，“但最重要的是……”

这时，远处的一阵震荡打断了他们的谈话。声音响起，整个屋子和屋子里的一切都摇晃起来，发出稀里哗啦的声音。原来，下面那黑黢黢的山顶上，恶魔们正拿着斧子、锤子和锯子要拆毁通向空中城堡的阶梯。没过多久，阶梯就坍塌了，发出巨大的声响。受惊的骗人虫一下子蹦了起来，正好看见整个宫殿慢慢地向空中飘去。

“我们飘起来了！”他喊道。事实正如他所说。

“我想我们最好赶紧离开。”韵律公主轻轻地说，理性公主点了点头。

“可是，我们怎么下去呀？”骗人虫看着下面阶梯的残骸咕哝道，“没有了阶梯，城堡会越飘越高，我们离地面就越来越远了。”

“嗯，时间过得飞快，是不是？”米洛问。

“很多情况下是。”咔嗒叫了一声，急切地跳了起来，“我带一个下去。”

“你能把我们都带上吗？”骗人虫问。

“一小段距离还可以，”咔嗒想了想说，“公主们可以坐在我的背上，米洛抓住我的尾巴，你就抓住米洛的脚踝好了。”

“空中城堡怎么办？”骗人虫似乎对这样的安排不甚满意。

“就让它这么飘走吧。”韵律公主说。

“总算能摆脱它了。”理性公主说，“不管它看起来有多美，对我们来说都和监狱无异。”

咔嗒往后退了三步，助跑一段，带着他的乘客一下子从窗户跳了出去。之后就是漫长的滑行下降。公主们坐得笔直，毫无畏惧，米洛拼命地抓着咔嗒的尾巴，最后面的骗人虫剧烈地摇晃着，就像风筝的线。他们穿过黑暗，向着下面的高山和恶魔冲去。

19

韵律公主和理性公主归来

飘过三座高高的山峰后，他们危险地降落在恶魔上方的地面上。因为降落的速度太快，停下来的时候猛地震了一下，下面那些恶魔正努力伸长胳膊想要抓住他们。

“快！”咔嗒催促道，“跟着我！我们得快跑！”

咔嗒背着公主们一口气冲下满是石头的小路——他们一秒都不能耽搁，因为住在无知山的所有恐怖生物正焦躁不安地捶打着山脊等待着他们，到处都是腾起的灰尘和令人毛骨悚然的尖叫。

他们借着黑暗的掩护飞快地向前奔跑，厚厚的黑云就悬在他们头顶。米洛往后看了一眼，发现那些恐怖的身影正逐渐靠近他们。左后方不远的地方是“妥协三恶魔”，其中一个又高又瘦，另一个又矮又胖，第三个看起来和前两个都很像。他们就如往常一样围成一圈前行，因为，他们总是一个说“这边”，另外一个说“那边”，而第三个人则无条件地服从前两个人。他们解决争议的方法就是做三个人都不愿做的事，所以他们基本上哪儿也去不了——他们基本上也没见过什么其他人。

那个在石头上笨拙地跳来跳去、伸着弯曲的爪子乱抓的就是恶魔“莽撞鬼”——最让人讨厌的家伙之一。他的眼睛长在背后，屁股却长在前面。他总是不看就跳，从来不在乎到底要去哪儿，只知道不应该再去他到过的地方。

最可怕的是，“恶意与怨恨”正从正后方追上来。他们就像一群大型软壳蜗牛，眼睛里发出炽烈的光芒，嘴角淌着贪婪的口水。他们的移动速度比想象中要快，而且爬过的地方会留下一串串黏腻的东西。

“快，快！”咔嗒喊道，“他们追上来了。”

他们飞快地向山下跑去，骗人虫一只手按着帽子，一只手不顾一切地四处扑打，米洛从来没跑这么快过，就算是恶魔也比他快不了多少。

恶魔“自大狂”一边喋喋不休，一边从右后方追过来，他那沉重的球形身体全凭细细的腿支撑着，那些腿看起来已不堪重负。这个可怕的恶魔浑身上下就一张嘴，随时准备着就各个问题提供错误信息。他经常重重地摔在地上，但是遭殃的从来不是他自己，而是那些被他压在身下的可怜虫。

在他后面一点是恶魔“小题大做”。他外形诡异，举止极其令人生厌，只看他一眼都是一种折磨。他那两排邪恶的牙齿专门用来扭曲真理。一旦谁被他逮着，可就倒大霉了。

骑在别人背上跑过来的是恶魔“破烂借口”。他个头很小，而且看起来有点可怜，因为他的衣服破破烂烂的。他一直叽叽咕咕地重复着同样的话，声音虽低却很有穿透力：“其实，我生病了——可是这一页被撕掉了——我误了公车——可是别人就没有——其实，我生病了——可是这一页被撕掉了——我误了公车——可是别人就没有。”他的样子看起来友好无害，但是他一旦抓到了谁，是绝不会让人跑掉的。

恶魔们越来越近，互相挤撞、推搡，满脸愤怒地挥动着爪子，哼哼唧唧。咔嗒的脚步都不稳了，但他还是带着韵律公主和理性公主勇敢地向前冲；米洛跌跌撞撞地沿着小路跑，他觉得自己快要无法呼吸；骗人虫的速度有点慢，落在了后边。快到山脚的时候，路变得宽阔又平坦，并向智慧王国延伸而去。光明和安全近在咫尺——但对他们来说还是有点遥远。

恶魔从四面八方冲了过来。这些生于黑暗、长于黑暗

的疯狂生物，不顾一切地向他们的猎物冲去。在恶魔部队的后方，时间杀手和摇摇晃晃的软塌塌巨人正兴奋地催促着前方的恶魔们。丑陋的恶魔“犹豫不决”一下子冲了过来，他喷着响鼻，蹄子用力踏着地面，一心想把人搁到他那长长的角的顶端，好看他们左右为难的样子。

筋疲力尽的骗人虫摇摇晃晃地跑着，他那橡皮一般的腿已经没有什么力气了，他那因痛苦而扭曲的脸上现出一丝渴望的神情。“我觉得我……”正当他喘着粗气说话的时候，一道闪电划破了天空，他的声音淹没在了轰隆隆的雷声中。

恶魔们越来越近，眼看疯狂追逐就要到头了，他们一鼓作气，打算先吞掉骗人虫，然后吞掉小男孩，最后吞掉那只狗和两位公主。他们一齐跳了起来——

忽然，恶魔们猛地停下了，就像被冻住了一样，一动也不动，只是满脸惊恐地望着前方。

米洛慢慢地抬起疲惫不堪的头，向前看去。原来，智慧王国的大部队正在不远处待命。他们的剑和盾折射着太阳明亮的光芒，鲜艳的旗帜骄傲地在风中摇摆。

一瞬间，周围一片死寂。接着，一千个喇叭响了起来——然后是另外一千个——排成长队的骑士海浪一样向前行进，开始速度还比较缓慢，后来越来越快，到最后就像狂风骤雨一般冲向那群被吓坏了的恶魔。震耳欲聋的马蹄声和喊叫声在米洛听来宛若音乐一般动听。

冲在最前面的是ABC国王，他那亮光闪闪的铠甲上装饰着各种字母；旁边的123国王正用力挥舞着一支新削的铅笔魔杖；噪音医生从小车里接连丢下一个又一个炸弹，让声音守护人十分开心；吵吵则忙个不停，因为他得赶紧把声音收集起来。这时，色彩大师也来助威，他的交响乐团奏出了绚烂的色彩。米洛在旅行中遇到的每个人都来帮忙了——在市场遇到的男人、数字国的矿工，还有居住在山谷和森林里的善良的人们。

拼写蜜蜂兴奋地在空中飞来飞去，大声喊着："加油——g-o, go——加油——g-o, go!"万能人还是那样胆小，他从结论岛赶来，就是为了证明自己也可以变得十分英勇。就连都有罪警长也来了，他趾高气扬地骑在一只长而矮的腊肠犬上，一脸冷酷地向前飞奔。

无知山的恶魔们害怕地哭喊起来，那声音是如此恐怖，让人听过一遍就再也忘不了。恶魔们狂乱地掉头，向着他们来的地方——那阴暗潮湿的地方奔去。骗人虫长舒了一口气，米洛和公主们则准备去问候打了胜仗的军队。

"干得好！"定义公爵走到米洛跟前，抓住他的手说。

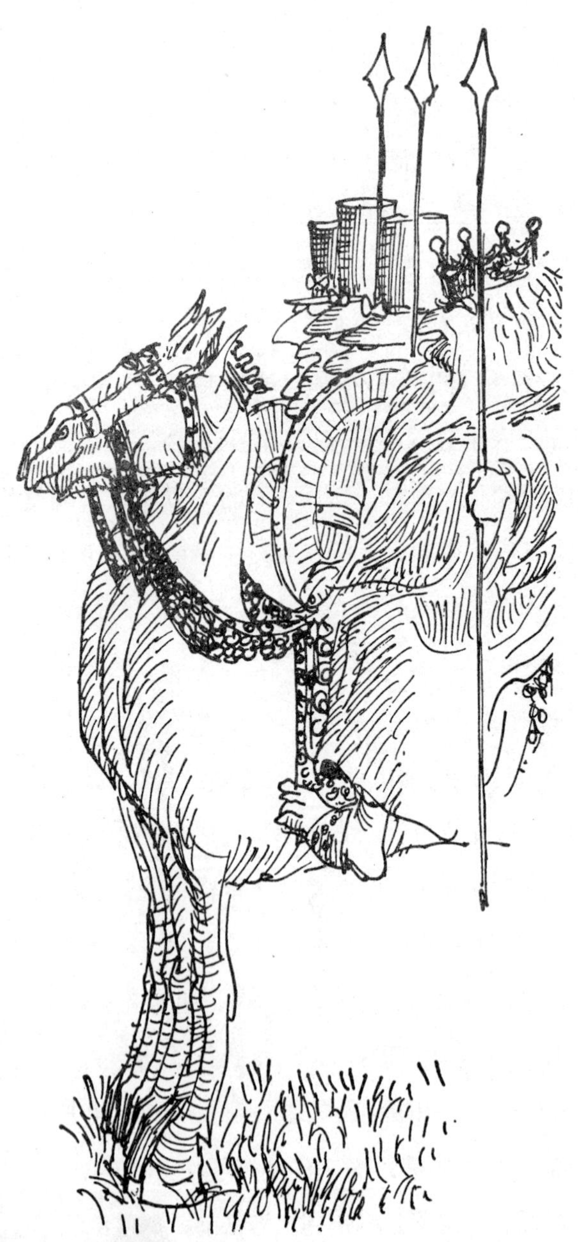

“太棒了！”意义部长接着说。

“很不错！”内涵侯爵也跟着说。

“祝贺你！”本质伯爵也称赞道。

“让我们欢呼吧！”理解次长建议。

这正是人们现在最想做的，所以在场的人都大声欢呼起来。

“我们想要感谢——”当四周的喊叫声渐渐平息下来的时候，米洛开口说，但是，他还没来得及说完，五位内阁大臣就展开了一个巨大的羊皮纸卷轴。

在热热闹闹的喇叭声和鼓声中，他们大声宣布：

“自此——”

“从此刻起——”

“我们向全世界宣布——”

“韵律公主和理性公主——”

“再次统治智慧王国！”

两位公主优雅地鞠躬致意，接着又热烈地亲吻了她们的兄弟。人们都说这是一个了不起的奇迹。

“另外。”大臣们再次宣读：

“男孩米洛——”

“闹钟狗咔嗒——”

“以及甲虫，即骗人虫——”

“在此被授予——”

“‘国家英雄’的称号！”

人群爆发出一阵又一阵的欢呼。被这么多人注视、赞美，就连骗人虫都有点不好意思了。

定义公爵最后宣布：“为了表彰他们的英勇事迹，我们将为他们举行盛大的庆祝会！让游行遍布所有的城市吧，让我们狂欢三天三夜吧！届时将有各种竞技、游戏、欢宴和戏剧，让我们尽情狂欢吧！”

这五位大臣把羊皮纸卷了起来，然后一边鞠躬一边挥手，慢慢退了下去。

英勇敏捷的骑士们很快将这个消息传遍了大街小巷。长长的游行队伍蜿蜒着穿过乡村城镇，所经之地的人们也都兴高采烈地加入进来，队伍越来越长。家家户户的窗口都悬挂着五彩斑斓的花环，美丽的花瓣像地毯一样铺满了所有的街道。就连空气似乎也因为这样的欢乐而闪着细小的微光，尘封多年的百叶窗忽然打开，迎接着阔别已久的炫目阳光。

米洛、咔嗒和有点安静的骗人虫骄傲地与 ABC 国王、123 国王以及两位公主一起坐在皇家马车上，他们看到前后的游行队伍都有几英里长。

人们的欢呼还在继续，喜悦和感激之情溢于言表。这时，韵律公主轻轻地碰了碰米洛的胳膊。

“他们是在为你欢呼呢。”她微笑着说。

“但是如果没有大家的帮助，”米洛回答，“我永远也无法做到这件事。”

“也许是吧。”理性公主严肃地说，“但是，你却有勇气去尝试，这是难能可贵的，因为，有些时候，你能做的事情也就是你想做的事情。”

“所以，”ABC 国王说，“那件非常重要的事情，我说只能等你回来才能讨论的事……”

“我记着呢。”米洛急切地回答，“快告诉我。”

“你们不可能营救出韵律公主和理性公主。”ABC 国王看着 123 国王说。

“完全不可能！”123 国王看着 ABC 国王。

“难道说……”骗人虫结结巴巴的，忽然觉得有点眩晕。

“是的，就是这样。”两个人一起说，“但是如果那个时候我们就把这事告诉你的话，你可能就不会去了——而且，正如你所见，这么多事情都变得可能，就是因为你们不知道它们是不可能的。”

米洛许久没有说一句话。

最后，他们到达了宽阔的平原。它恰好位于词语国和数字国中间，右边一点是寂静山谷，左边一点是森林。排成长队的马车和骑士都停了下来，准备在这里举行盛大的狂欢。

颜色鲜亮的条纹帐篷和大棚从四处冒了出来，工人们就像蚂蚁一样奔走。没过多长时间，平原上就出现了跑道、看台、舞台、点心摊、游乐场、摩天轮和彩旗，人们一刻也不停，全力以赴地为狂欢节作准备。

123 国王不停地制作出美丽绝伦的焰火。这些惊人的焰火都是用可以爆炸的数字乘以或除以数字得来的——那缤纷绚丽的色彩当然是由色彩大师提供的，而声音则出自高兴到发狂的噪音医生之手。声音守护人为大家带来了无尽的音乐和欢笑，当然，这些热闹的声音里还会穿插一点点寂静。

阿列克·宾斯架起了一个巨大的望远镜，邀请每个人去看月亮的另一边；骗人虫在人群里闲逛，一边享受着人

们的欢呼和祝贺，一边不厌其烦地讲述他的英勇事迹，当然，那故事已不知被夸大了多少倍。

每个晚上太阳一落山，这里就会举行盛大的宴会。这里的每件事物都让人惊叹。ABC 国王特意点了风味各异的甜美词语，还为那些喜欢异国事物的人们做了所有的外语；123 国王则做了好多盘除法饺子，但是米洛小心翼翼地避开了。因为不管吃多少，只要一吃完，盘子里就会出现更多的饺子。

晚宴过后，精彩绝伦的表演开始了。人们或唱歌，或朗诵史诗，或演讲，来赞美他们的公主和拯救了她们的三个伟大冒险家。ABC 国王和 123 国王保证，他们每年都会带领军队到无知山剿灭恶魔，直到一个不剩。人们都说，智慧王国从来没有过这么快乐的时候，也从来没有举行过这么盛大的庆典。

再美好的日子也有结束的一天。即使不乐意，第三天下午，人们还是把帐篷和其他东西收了起来，准备离开。

“我们该走了。”理性公主说，“要做的事情还多着呢。”听了她的话，米洛猛地想起了他的家，现在他恨不得立即回到家里，但是，他又有点舍不得离开这里。

“好了,你该说再见了。”韵律公主温柔地拍着他的脸说。

“和所有人吗？”米洛不太开心地说。他转过头，慢慢地看向他所有的朋友，他看得非常地用心、仔细，想把他们的样子都记在心里，这样以后永远也不会忘记了。但是，他看得最多的还是咔嗒和骗人虫——与他分享冒险、危险、恐惧以及胜利的好朋友。再也找不到比他们更忠实的朋友了。

“你们能跟我一起走吗？”他问咔嗒和骗人虫，虽然他早已知道答案。

“恐怕不能，老伙计。”骗人虫回答说，“我很想和你一起走，但是我得去安排一场讲座，这估计会占用我好多年的时间。”

“而且他们这里还需要一条看门狗。”咔嗒也悲伤地说。

米洛走上前拥抱骗人虫，这只甲虫以他一贯的粗鲁含糊地说：“走吧！”但是湿润的双眼却暴露了他的真实心情。然后，米洛又抱住了咔嗒的脖子，有好长一段时间，他们只是这样紧紧地抱在一起。

“谢谢你们，谢谢你们教会我那么多事情！”米洛向每一个人道谢，泪水沿着他的脸颊滚落下来。

“我们也谢谢你，你也教会了我们许多！”ABC 国王说完，拍了拍手，有人把小汽车推了过来，它已经焕然一新。

米洛走进车里，最后看了一眼所有的人，然后发动汽车离开了这里。身后每个人都在挥手向他道别。

“再见！”他喊道，“再见，我会回来的。”

“再见，”ABC 国王也朝他喊，“要记得词语的重要性。”

“还有数字！”123 国王也喊了一嗓子。

“你该不会觉得数字和词语一样重要吧？”远处传来 ABC 国王的怒吼。

“不是吗？”123 国王回答，不过声音更小了，“你看嘛，如果……”

“我的天！”米洛头疼地想，“你们可别再惹乱子了。”不一会儿，所有人都从视野里消失了。米洛下了坡，掉个头，向家的方向开去。

20

米洛的新生活

美丽的乡村风光从身边呼啸而过，风扫过挡风玻璃，发出吹哨子一样的声响。米洛忽然想起来，他已经离开好几个星期了。

“我希望他们没有太担心。”他给小车加油，走得更快一些，“我从来没有离开家这么长时间。”

下午的太阳逐渐从鲜亮耀眼的黄色变成了温和散漫的橘红色，看起来就和米洛一样疲累。拐过几个不明显的弯道后，眼前的路米洛就非常熟悉了，远处渐渐浮现出那个孤独的收费亭，这是多么让人欣喜的景象！很快，米洛就到达了终点。他投下硬币，把车开了过去。还没有反应过来，他就已经坐在自己的房间里了。

“才六点啊。”他打了个哈欠，紧接着，就有了一个非常有趣的发现。

“竟然还是今天！我只离开了一个小时！”他惊奇地喊，没想到他竟然在这么短的时间里做了那么多的事。

他已经累得不想说话也不想吃饭了，所以，他一声不吭地爬上床，盖好被子，盯着自己的房间看了好久——这个房间与他记忆中相比似乎变了很多，然后沉沉睡着了。

第二天上学时，米洛还没办法完全收回心来，他满脑子都是旅行，眼睛除了收费亭什么也看不见。他什么也听不进去，只是不耐烦地等着下课。等铃声终于响起，他早已跑得无影无踪了。

“我要再去旅行！去旅行！我要马上离开！他们见到我肯定高兴得不得了，我……”

米洛一路狂奔，到家后却猛地刹住了脚步——收费亭已经不见了。他疯狂地搜遍了整个房间，也没有找到。它就像来时一样神秘地消失了——在它原来的地方躺着一封亮蓝色的信，上面简单地写着：**给已经返回的米洛。**

米洛马上拆开信封，信上写着：

亲爱的米洛：

多亏收费亭的帮助，你现在已经完成了旅行。我

们相信你已心满意足，也希望你能谅解，我们必须带走它，因为还有其他孩子在等着使用它。

当然，你还有许多地方要去，有些甚至地图上都没有，还有许多东西要看，可能是人类无法想象的东西，但是我们坚信，只要你思考，就会自己找到通向它们的路。

你真挚的朋友

下面的签名已经模糊不清了。

米洛伤心地走到窗前，窝在长椅里。他感到非常孤独和寂寞，他想起了好多的人和好多的事——骗人虫有点笨但是很可爱；咔嗒一直在身边，总是给他令人欣慰的支持；吵吵很古怪而且很容易兴奋；还有小小的阿列克，希望他有一天能长到地面上；韵律公主和理性公主，没有她们，智慧王国就衰落了；还有其他许多人，他会一直记着他们。

就在想这些事情的时候，米洛发现，天空的蓝是如此让人心旷神怡，让人想起了迎风前行的船只。树木的顶端长出了浅白幼小的嫩芽，树叶则是浓绿色的。窗外有那么多可以看、可以听、可以触摸的东西——他可以去散步，可以去爬山，可以去花园里看毛毛虫闲逛。很多声音都等着他去聆听，很多对话都等着他去倾听。一切如此有趣，

连天天身在其中的空气都特别起来。

他坐着的这间屋子里，就放着许多可以引领他走向神秘殿堂的图书，许多需要创造、制作、建造和拆掉的东西，以及数不清的难题和游戏，这些都是他以前不知道的——他可以弹奏音乐，可以唱歌，可以想象一个终有一天会成为现实的世界。他的大脑飞速地考虑着要做的事，周围的一切看起来是如此新鲜，而且都值得一试。

“嗯，我的确想要开始另一段旅行，”他兴致勃勃地跳了起来，“但是我不知道什么时候才能有时间，因为我手头要忙的事情多着哪。”

图书在版编目（CIP）数据

神奇的收费亭／〔美〕贾斯特著；〔美〕费弗绘；张加楠译．－海口：南海出版公司，2012.1
ISBN 978-7-5442-5061-0

Ⅰ．①神…　Ⅱ．①贾…②费…③张…　Ⅲ．①儿童文学－长篇小说－美国－现代　Ⅳ．①I712.84

中国版本图书馆 CIP 数据核字（2011）第 201423 号

著作权合同登记号　图字：30-2011-141

THE PHANTOM TOLLBOOTH
TEXT BY NORTON JUSTER AND ILLUSTRATIONS BY JULES FEIFFER

神奇的收费亭
〔美〕诺顿·贾斯特　著
〔美〕朱尔斯·费弗　绘
张加楠　译

出　　版　南海出版公司　（0898）66568511
　　　　　海口市海秀中路 51 号星华大厦五楼　　邮编 570206
发　　行　新经典文化有限公司
　　　　　电话（010）68423599　　邮箱 editor@readinglife.com
经　　销　新华书店

责任编辑　余　晋
特邀编辑　张　锐　邢培健
装帧设计　蔡阳阳
内文制作　田晓波

印　　刷　北京德富泰印务有限公司
开　　本　850 毫米 ×1168 毫米　1/32
印　　张　8.75
字　　数　130 千
版　　次　2012年1月第1版
印　　次　2012年2月第2次印刷
书　　号　ISBN 978-7-5442-5061-0
定　　价　25.00 元